D0293708

Maxime

Volume 1

la courte échelle

Les éditions de la courte échelle inc.
5243, boul. Saint-Laurent
Montréal (Québec) H2T 1S4
www.courteechelle.com

Dépôt légal, 2e trimestre 2010
Bibliothèque nationale du Québec

Copyright © 2010 Les éditions de la courte échelle inc.

La courte échelle reconnaît l'aide financière du gouvernement du Canada par l'entremise du Programme d'aide au développement de l'industrie de l'édition pour ses activités d'édition. La courte échelle est aussi inscrite au programme de subvention globale du Conseil des Arts du Canada et reçoit l'appui du gouvernement du Québec par l'intermédiaire de la SODEC.

La courte échelle bénéficie également du Programme de crédit d'impôt pour l'édition de livres - Gestion SODEC - du gouvernement du Québec.

Catalogage avant publication de Bibliothèque et Archives nationales du Québec et Bibliothèque et Archives Canada

Côté, Denis

Maxime

(Roman jeunesse)

Publ. à l'origine en volumes séparés.

Sommaire: v. 1. Les prisonniers du zoo ; Le voyage dans le temps ; La nuit du vampire.

Pour les jeunes de 9 ans et plus.

ISBN 978-2-89651-344-4 (v. 1)

I. Poulin, Stéphane. II. Titre. III. Collection: Roman-jeunesse.

PS8555.O767M39 2010 jC843'.54 C2010-940306-1
PS9555.O767M39 2010

Imprimé au Canada

Denis Côté

Denis Côté est né le 1er janvier 1954 à Québec, où il vit toujours. Il a exercé plusieurs métiers avant de devenir écrivain. Aujourd'hui, ce maître de la littérature fantastique a de nombreux admirateurs qui lisent avec passion chacun de ses romans. Denis Côté a d'ailleurs reçu de nombreux prix au cours de sa carrière. Dans le processus d'écriture, c'est la rêverie qu'il préfère. Selon lui, toute œuvre d'art demande 10 % d'inspiration et 90 % de transpiration !

Stéphane Poulin

Stéphane Poulin a grandi au milieu de huit frères et sœurs. Jeune illustrateur, il s'est beaucoup déplacé dans les écoles, un peu partout au Canada. Aujourd'hui, il préfère se consacrer à son travail qui le passionne. Il aime aussi beaucoup la musique et les vieux vélos sans vitesses. D'ailleurs, il n'a pas de voiture et, hiver comme été, il se promène sur sa bicyclette qui date de 1937.

Du même auteur à la courte échelle

Collection Premier Roman
Un parfum de mystère

Collection Roman Jeunesse
Les géants de Blizzard

Série Maxime :
Les prisonniers du zoo
Le voyage dans le temps
La nuit du vampire
Les yeux d'émeraude
Le parc aux sortilèges
La trahison du vampire
L'île du savant fou
Les otages de la terreur
La machine à rajeunir
La forêt aux mille et un périls tome 1
La forêt aux mille et un périls tome 2
La forêt aux mille et un périls tome 3

Collection Mon Roman
Série Jos Tempête :
La machination du Scorpion noir

Collection Ado
Terminus cauchemar
Descente aux enfers
Les prédateurs de l'ombre
Les chemins de Mirlande

Série les Inactifs :
L'arrivée des Inactifs
L'idole des Inactifs
La révolte des Inactifs
Le retour des Inactifs

Collection Ado +
Aux portes de l'horreur

Maxime voyage !

Maxime a des fans dans plusieurs pays du monde. On peut lire les romans de la série en anglais, en italien, en espagnol, en danois et en chinois.

Des honneurs pour Denis Côté !

• Finaliste prix littéraire de la ville de Québec et du Salon du livre international de Québec, pour *La machination du Scorpion noir* (2005)

• Premier prix Palmarès des clubs de lecture Livromagie pour *La nuit du vampire* (1991)

• Finaliste prix Québec/Wallonie-Bruxelles pour *Les yeux d'émeraude* (1992)

• Finaliste prix du livre M. Christie pour *Les yeux d'émeraude* (1991)

• Finaliste prix du livre M. Christie pour *La nuit du vampire* (1990)

• Finaliste prix du livre M. Christie pour *Le voyage dans le temps* (1989)

• Finaliste Prix du Gouverneur général, texte jeunesse, pour *Les prisonniers du zoo* (1988)

• Finaliste prix du Conseil des Arts du Canada pour *Les géants de Blizzard* (1985)

• Prix de la science-fiction et du fantastique québécois pour *L'arrivée des Inactifs* (1984)

• Prix du Conseil des Arts du Canada pour *L'arrivée des Inactifs* (1983)

Pour en savoir plus sur la série Maxime,
visitez le www.courteechelle.com/collection-roman-jeunesse

Denis Côté

LES PRISONNIERS DU ZOO

la courte échelle

Chapitre I

Je regardais *King Kong* à la télé. Un vieux, très vieux film, en noir et blanc. King Kong, c'est un gorille géant que de méchants Américains sont allés chercher dans une île perdue. En ce moment, la pauvre bête s'était réfugiée tout en haut de l'Empire State Building, l'édifice alors le plus élevé de New York. De drôles d'avions anciens tournoyaient autour de King Kong et il essayait de les attraper. Plus tard, ça m'a rendu un peu triste quand il est tombé de l'édifice et qu'il s'est aplati très très loin en bas.

Moi, les vieux films, ça me fatigue la plupart du temps. Mon père dit que *King Kong* c'est un chef-d'oeuvre. Pour moi, les chefs-d'oeuvre, c'est *Retour vers le futur* et les aventures d'Indiana Jones. Il faut croire qu'Hugo et moi, on n'a pas les mêmes goûts. Ou alors il y a quelque chose qui m'échappe quelque part.

L'école était finie depuis presque

deux semaines et je m'ennuyais. L'été, c'est bien, on est en vacances. Mais il y a de ces jours où je me demande pourquoi les vacances ont été inventées. Surtout quand il pleut. Et cet après-midi-là, bien sûr, il pleuvait. Sinon King Kong, je n'aurais même jamais appris son existence.

Dans ma famille, le meilleur moment des vacances, c'est la fin juillet. Chaque année, papa et maman louent un petit chalet à Saint-Jean-Port-Joli pendant trois semaines. J'aime bien ça. Mais entre la fin de l'école et Saint-Jean-Port-Joli, il y a des jours où c'est le calme plat. Dans ces moments-là, j'aimerais bien être Indiana Jones en mission quelque part dans la jungle. Ou Superman, tiens. Lui, il ne s'ennuie jamais, le chanceux. Oh, je sais bien que ces deux gars-là n'existent pas pour de vrai. N'empêche. Les *Livres dont vous êtes le héros* , c'est bien beau, j'en ai lu beaucoup. Mais je préférerais parfois *La vie dont vous êtes le héros* .

Pendant que King Kong s'agitait en haut de l'Empire State, mon père lisait le journal tout bonnement. Le sort du pauvre gorille lui importait peu. Hugo avait vu le film vingt fois, qu'il m'a dit.

Tout à coup, je l'ai vu se pencher sur le journal en fronçant les sourcils. Puis il a relevé la tête. Son visage ressemblait soudain à celui d'un ange. Mon père est comme ça quand lui vient une idée géniale. J'ai fait semblant de rien, je savais qu'il allait me dire quelque chose.

— Écoute bien ça, Maxime! *UN ZOOLOGUE PORTÉ DISPARU. La*

police enquête présentement sur un cas de disparition subite. Depuis deux jours, on est sans nouvelles du docteur Zaïus Merle, un zoologue rattaché au Jardin zoologique gouvernemental. Lundi, le scientifique ne s'était pas présenté à son travail. Le croyant gravement malade, la direction du zoo a tenté de le joindre chez lui. Comme ça ne répondait pas au téléphone, un membre de la direction s'est rendu à l'appartement du docteur Merle où il n'a pu que constater son absence. Le directeur du zoo a décidé alors d'alerter la police.

Cette fois, Hugo m'a regardé. Ça m'émeut toujours quand je vois ses yeux briller comme ça.

— Quelle richesse dans cette nouvelle, Maxime! Ah, mon dieu oui, quelle richesse!

Je n'ai rien dit, je me suis contenté de sourire. Je connais mon père. Quand il est emporté par une de ses crises d'inspiration, il vaut mieux ne pas s'étonner. Moi, je la trouvais banale, cette histoire. Mais dans la tête compliquée d'Hugo, un engrenage venait de se mettre en branle. Il s'est levé, puis il s'est précipité dans son bureau comme s'il y avait le feu là-bas. Deux secondes plus tard, j'entendais cliqueter sa machine à écrire. Je savais que ça ne durerait pas longtemps. Hugo a souvent, comme ça, des idées géniales pour un roman. Il a dû en avoir des millions dans sa vie. Des romans par contre, il n'en a écrit aucun.

Pauvre papa. Des fois, il me fait de la peine parce qu'il se prend pour un grand écrivain. Il voudrait écrire «le roman des romans, celui qui va tout changer dans notre monde dérangé». Chaque après-midi, il se met au travail. Il se promène dans la maison en réfléchissant. Il prend des notes, tape des phrases sur sa machine, s'exclame, saute en l'air parce qu'il est content. Et chaque soir, il finit par faire des boulettes avec les pages écrites durant la journée, puis il les balance à la poubelle. C'est toujours à recommencer et il ne se décourage jamais. Je l'admire un peu pour ça. Heureusement pour lui, maman est persuadée qu'il a du talent et elle l'encourage comme elle peut. Je dirais même qu'elle l'encourage beaucoup. C'est beau de la voir quand elle le réconforte. Je crois que mes parents s'aiment à mort.

Après *King Kong*, les Informations ont commencé. J'allais me lever pour changer de poste quand des images ont capté mon attention. On voyait des cages vides et un bonhomme qui parlait avec un air tout à fait surpris. Puis la journaliste a raconté ce que tout ça signifiait.

Les images montraient les installations de la Société protectrice des animaux et particulièrement les cages où les animaux attendent d'être euthanasiés. Euthanasier, ça signifie: tuer quelqu'un légalement et proprement, sans faire souffrir. La S.P.A. ne fait pas que protéger les animaux, elle les tue aussi quand le besoin se fait sentir. La nuit dernière, ses cages avaient été déverrouillées, puis ouvertes par un ou des mystérieux inconnus. Et les animaux qui attendaient la mort s'étaient enfuis dans tous les sens.

La journaliste disait que ceux qui avaient ouvert les cages n'avaient laissé aucun indice et qu'il s'agissait sûrement d'une bande bien organisée. Les responsables de la S.P.A. accusaient *la branche locale de l'organisation écologiste Green War*. Là-dessus, j'ai changé de poste, parce que je ne savais plus de quoi ils parlaient. Je me suis demandé juste un peu pourquoi ces gens-là avaient libéré les animaux. Je trouvais ça gentil, en tout cas. Les animaux, ils devaient être bien contents. Parce que moi, je n'aimerais pas ça du tout être euthanasié: franchement, je me mettais à leur place.

Mais une idée géniale m'était venue. Moi aussi, j'en ai parfois, même si je ne me prends pas pour un écrivain. La disparition du zoologue et le sauvetage des animaux de la S.P.A. m'avaient rappelé que j'aime bien aller au zoo de temps en temps. Je me suis dit que ce serait super si je m'y rendais le lendemain au lieu de m'ennuyer. Mais pas avec mes parents comme d'habitude. Non, j'avais le goût d'inviter Jo. Ce serait une sorte de rendez-vous d'amoureux, en somme.

Prune est revenue de son travail, plus sale que jamais on aurait dit. Avant de quitter le garage, maman a beau se débarbouiller, ça ne sert pas à grand-chose. La première chose que fait Prune en rentrant à la maison, c'est de s'enfermer dans la salle de bains pendant trois quarts d'heure. Et là, c'est comme les publicités AVANT-APRÈS. Avant la douche, elle est tellement crottée qu'elle n'a carrément pas d'allure. Après, ses joues brillent et elle sent bon. Mais sale ou pas, Prune sourit tout le temps et moi je l'aime bien, peu importe de quoi elle a l'air. Ça fait bien rire les copains de l'école quand je leur apprends que ma mère est mécanicienne. Moi, ça me fait un petit velours. Ce ne sont pas toutes les mères qui reviennent du travail aussi sales que la mienne.

Hugo est sorti de son bureau. Il a embrassé Prune. Il avait fini de s'éplucher le cerveau encore une fois et maintenant il allait éplucher des carottes. J'ai composé le numéro de téléphone de Jo, c'est sa mère qui a décroché l'appareil. Quand Jo a su que je l'appelais, elle a pris son temps avant de venir répondre, juste pour me faire languir. Elle a dû apprendre cette technique dans les romans d'amour qu'elle dévore les uns après les autres, les *Coeur battant* et autres *Vilebrequin* pour filles de son âge. Ça ne me dérange pas du tout qu'elle lise ça, parce que Jo est très intelligente autrement. On peut parler d'une foule de sujets, tous les deux.

Je lui ai exposé mon projet et c'était évident que l'invitation lui faisait plaisir. Mais elle a fait semblant d'hésiter.

— Je ne sais pas si ma mère va être d'accord. Et puis, es-tu sûr qu'il va faire beau demain?

Mais Jo n'est jamais capable de faire semblant très longtemps. Elle a fini par dire oui et on a fixé l'heure du départ. Une promenade au zoo, c'est certain que ça ne fait pas très romantique. Mais Jo a treize ans et moi douze, il faut être réaliste.

Chapitre II

La météo n'avait pas menti: il faisait super beau avec un soleil qu'on avait le goût de prendre dans nos bras.

Après un trajet en autobus sans histoire, Jo et moi on a franchi l'entrée du zoo. C'était un peu comme se retrouver dans la jungle, à cause des arbres, des odeurs végétales et surtout, bien sûr, des animaux. La différence, c'est qu'il n'y a pas de cages dans la jungle, je sais bien. Mais on a le droit de rêver, non?

Contrairement à d'autres zoos où j'étais déjà allé, celui-là est très vaste. Les cages ne sont pas serrées les unes contre les autres. Il y a des étangs, des totems, plusieurs cabanes et des petits bois très mystérieux où les visiteurs n'ont pas le droit de se promener. Ce zoo-là, c'est presque la jungle et Indiana Jones s'y sentirait probablement très à l'aise avec son chapeau héroïque et son long fouet.

Jo et moi, on était vraiment bien à

se promener dans les sentiers entre les cages. On parlait, on riait, on restait longtemps devant un animal quand c'était intéressant. Jo avait mis une petite jupe qui la rendait adorable. Ça, je ne le lui ai pas dit, mais j'y pensais souvent.

J'avais complètement oublié la disparition du zoologue dont le journal parlait la veille. Je ne faisais pas le lien entre le zoo où on était et le pauvre docteur Machin, qui était pourtant un des employés. Honnêtement, c'était une affaire qui ne me regardait pas. Du moins, pas encore.

Une seule chose clochait par rapport à mes visites précédentes avec mes parents. Les animaux paraissaient très nerveux. Les lions rugissaient tout le temps, l'éléphant barrissait comme s'il voulait gagner un concours et les cris des oiseaux nous perçaient les oreilles. Jo n'a rien remarqué parce qu'elle n'allait pas au zoo aussi souvent que moi. Mais il a quand même fallu une couple d'incidents pour que je commence à me poser des questions.

Le premier s'est produit dans le

pavillon des fauves et des primates, là où sont les singes. Comme toujours, il y avait beaucoup de monde là-dedans. Les singes nous ressemblent tellement, mais ça nous rassure de voir les différences. Ils étaient plus agités que de coutume. Les singes-araignées se balançaient avec frénésie au bout de leurs queues interminables. Les macaques grimaçaient à s'en décrocher les mâchoires. Les visiteurs s'extasiaient, et Jo et moi, on partageait ce plaisir.

Après un moment, je me suis approché d'une cage vitrée qui semblait n'intéresser personne. C'était celle des chimpanzés. Je crois que les deux singes ne m'avaient pas encore vu. Ils étaient assis l'un en face de l'autre au fond de la cage, sans bouger, comme endormis. Mais ils ne dormaient pas, leurs yeux étaient ouverts. Ils ne faisaient rien. Absolument rien. Ça m'intriguait.

Puis l'un des chimpanzés a pris un morceau de fruit qui se trouvait sur le plancher, entre lui et l'autre singe, et il l'a avancé d'un ou deux centimètres. En regardant plus attentivement, j'ai vu qu'il n'y avait pas seulement un morceau de fruit, mais une vingtaine. Et ils étaient alignés sur plusieurs rangées dans un ordre étonnant. Au bout d'environ une minute, le deuxième chimpanzé en a déplacé un à son tour. Je n'en croyais pas mes yeux. Je me suis demandé si je délirais. Parce que les deux chimpanzés étaient en train de faire quelque chose de tout à fait extraordinaire pour des singes: ils jouaient aux dames! Les morceaux de fruits représentaient des pions et, à la place du damier, les singes avaient tracé des lignes dans la poussière!

Je n'avais jamais rien vu de pareil. Je les regardais, paralysé. Pour être sûr que je n'étais pas en train de devenir fou, j'ai lancé un grand cri à Jo pour lui demander de venir voir. C'est là que les

singes se sont aperçus de ma présence. Les deux animaux ont levé la tête vers moi, puis l'un d'eux a balayé les morceaux de fruits avec sa main. Le jeu de dames venait de disparaître. Jo était tout près de moi maintenant.

— Tu veux me montrer quelque chose, Maxime?

— Les singes... Les singes... Ils...

Elle s'est tournée vers les chimpanzés qui s'épouillaient comme si de rien n'était.

— Ils sont ennuyeux, ceux-là. Tu devrais venir voir les gibbons qui courent partout dans la cage. Les bébés surtout sont comiques.

Les chimpanzés joueurs de dames ressemblaient maintenant à de vulgaires singes. J'étais sonné. J'ai suivi Jo, mais je ne pouvais pas m'empêcher de penser à ce que j'avais vu. Les hallucinations, c'est une idée drôlement intéressante, mais ça n'explique quand même pas tout!

Quant au deuxième incident étrange, il a eu lieu pendant qu'on était assis sur un banc dans le quartier des ours. Je songeais encore à mes chimpanzés.

Depuis quelques minutes, un monsieur bien habillé lançait des arachides à un énorme ours Kodiac. Il croyait certainement faire grand plaisir à la bête en agissant comme ça, mais l'ours ne semblait pas avoir faim. Ou il n'aimait pas les arachides.

Soudain, le Kodiac s'est dressé sur ses pattes de derrière. Il devait mesurer plus de deux mètres, c'était impressionnant. Puis il s'est mis à grogner tout en passant ses pattes de devant à travers la grille, comme s'il voulait frapper l'homme aux arachides. Le monsieur s'est reculé d'un bond en poussant un cri. L'ours continuait à hurler, exactement comme s'il engueulait le visiteur.

Un attroupement s'est formé devant la cage, parce que les gens ne voulaient pas manquer le spectacle. C'est seulement à ce moment-là que j'ai noté la présence d'un vieux monsieur pas très loin de nous. Il portait l'uniforme des gardiens du zoo. Jo et moi, on s'est approchés de lui. Le vieil homme observait la scène avec une sorte de sourire que j'ai trouvé déplacé. J'ai décidé de lui adresser la parole.

— Vous travaillez ici?

— En effet, jeune homme. Monsieur Toc à votre service.

— Cet homme aurait pu se faire arracher un bras. Ça vous fait sourire?

Ma question ne lui a pas fait perdre son air malicieux.

— Il aurait pu, mais ça ne s'est pas produit. De toute façon, il l'avait bien cherché.

— Comment ça? a demandé Jo.

— C'est simple, mademoiselle. Il est strictement interdit de donner à manger aux animaux. Les bêtes sont très bien nourries dans ce zoo. Elles reçoivent la nourriture qui convient parfaitement à leur régime alimentaire. Mais malgré les indications qu'on peut lire devant toutes les cages, des imbéciles se permettent de lancer aux bêtes des cacahuètes ou des chips ou du pop-corn. Alors, quand je vois un animal qui refuse de consommer les cochonneries qu'on lui lance, ça ne peut faire autrement que me réjouir, mademoiselle. Bon, excusez-moi, je dois aller vérifier comment se portent les louveteaux aujourd'hui. Monsieur Toc vous salue bien.

Et il est parti en nous laissant abasourdis par sa déclaration.

— Drôle de bonhomme, a dit Jo. Il ne m'est pas très sympathique.

Notre visite du zoo s'est achevée sur cette note-là. J'éprouvais un bizarre de sentiment. J'avais l'impression que le Jardin zoologique n'était plus comme avant. La grande nervosité des animaux, la réaction de l'ours Kodiac, les deux chimpanzés, Monsieur Toc, tout ça me faisait un drôle d'effet. Je sentais la différence, je soupçonnais qu'il se passait quelque chose, mais je ne voulais quand même pas exagérer.

Dans l'autobus, on a reparlé de Monsieur Toc. Je n'ai pas raconté à Jo l'épisode des singes qui jouaient aux dames. Je me répétais que parfois notre imagination peut nous jouer de vilains tours. Mais je me disais aussi que c'était la première fois qu'elle m'en jouait un aussi gros, si c'était ça l'explication.

Chapitre III

En rentrant à la maison, j'ai pincé mes parents en train de se minoucher. Ils étaient assis sur le fauteuil du salon et Hugo embrassait Prune dans le cou tout en la serrant dans ses bras. Ça me gêne toujours un peu quand je les vois comme ça. Mais en vérité je les trouve bien beaux dans ces moments-là. La plupart du temps, ils ressemblent à des parents, c'est-à-dire à un père et à une mère. Mais quand ils s'embrassent, ils me font penser à des amoureux comme dans les films, et ça me fait tout drôle.

En me voyant, ils se sont précipités sur moi en riant pour m'attirer dans leur histoire d'amour. Je me suis laissé faire. J'étais encore tout retourné par mon après-midi. Je ne leur ai rien dit et ils m'ont fait rire en me chatouillant comme des fous.

On a eu une très grosse surprise avant le souper. Ozzie est rentrée à la maison sans prévenir. Elle revenait de sa «grande tournée internationale», comme elle disait. Tout le monde était très heureux de la revoir après sa longue absence et Hugo a acheté une bouteille de vin pour fêter ça.

Ozzie, c'est ma grande soeur de dix-sept ans. Elle joue de la batterie dans un orchestre *heavy metal*. Physiquement, elle n'est absolument pas regardable avec son blouson clouté, ses longues bottes de cuir et ses cheveux noir et jaune. En plus de ça, elle se maquille toujours le visage pour ressembler à un vampire qui aurait attrapé la rougeole. Mais on l'aime quand même et cette fois j'ai accepté de l'embrasser sur la joue. Quant à sa tournée internationale, c'est plutôt une farce. Son groupe est connu seulement dans la région et Ozzie ne s'absente jamais plus d'une semaine.

Prune a fait venir de la pizza et le souper a été sensationnel. On riait et on parlait fort. J'avais presque oublié les singes, Hugo ne pensait plus à son grand roman et Prune était formidable comme toujours. Ozzie nous a chanté quelques tounes *heavy metal* et ça faisait tellement dur qu'on a tous failli mourir de rire, y compris Ozzie.

J'avais eu droit à un tout petit verre de vin et ça m'avait étourdi. Il a fallu que j'aille m'étendre dans le salon quelques minutes. La télé était allumée, c'était les Informations. Les Informations, on dirait que ça n'arrête jamais. Ils veulent absolument nous gâcher notre plaisir avec les pluies acides, les guerres du Nicaragua, les discussions soviéto-américaines et les malades qui placent des bombes un peu partout.

À travers tout ça, il y a eu une nouvelle sur le zoologue disparu. Le commentateur a dit que les recherches se poursuivaient et que le docteur Merle était un scientifique de grande renommée. Il travaillait au zoo depuis cinq ans, paraît-il. L'écran montrait un bout de film mettant en vedette le fameux docteur Merle. C'était un petit homme pas tellement âgé avec pas beaucoup de cheveux, des lunettes et un regard sévère. Je me suis demandé si un homme avec des yeux fâchés comme lui pouvait aimer les animaux. Après tout, il était zoologue, donc spécialiste des bêtes. C'était obligatoire de les

aimer un peu. Cette réflexion m'a ramené à Monsieur Toc. Lui, il aimait les animaux, c'était évident. Il les aimait trop peut-être, alors il ne restait plus de place dans son coeur pour les humains. Puis je me suis demandé un instant si l'atmosphère bizarre qui régnait au zoo avait un certain rapport avec cette disparition. Peut-être que Merle était très important là-bas. Peut-être que le zoo ne pouvait pas fonctionner sans lui. Peut-être que les animaux s'ennuyaient de leur zoologue. Je me faisais toutes sortes d'hypothèses un peu folles comme celles-là.

Pendant que le salon s'amusait à tourner autour de moi à cause du vin, il y a eu un autre reportage. La nuit précédente, des gens avaient vu un aigle au-dessus de la ville. Le journaliste trouvait ça très «inusité», comme il disait. Moi, ça ne me paraissait pas inusité du tout ni quoi que ce soit d'autre. Des aigles, j'en ai déjà vu dans les films. Et comme ce sont des oiseaux, il est tout à fait normal qu'ils volent dans le ciel. On aurait dit qu'il parlait d'une soucoupe volante.

— Un aigle américain? a dit Hugo qui était dans le salon sans que je m'en sois aperçu. Tiens, c'est bizarre...

— Pourquoi?

— Parce qu'il n'y a aucun aigle américain au Québec, tout simplement. Sauf dans les zoos. Ces oiseaux-là sont presque en voie d'extinction. On en trouve encore en Floride et en Alaska, c'est à peu près tout.

Hugo est au courant d'énormément de choses. Quand il se met à parler comme une encyclopédie, je me demande souvent si un jour j'en saurai autant que lui.

— Cet aigle s'est probablement écarté de sa route et il a abouti par ici. Ça arrive parfois. Dis donc, tu n'as pas l'air d'aller très bien, Maxime?

Je lui ai expliqué à propos du vin. Il est venu s'accroupir à côté du fauteuil et il m'a fait des sourires. Hugo est énormément gentil quand il n'est pas à la recherche d'idées géniales. Dans le fond, moi je trouve que c'est déjà une idée géniale d'être gentil avec son fils.

Il m'a aidé à me déshabiller, puis il m'a accompagné jusqu'à mon lit. Après, tout le monde est venu me border, comme si j'étais un petit garçon. Ozzie a fait des farces. Elle m'a dit: «Lâche pas, *man,* arrête pas de *blower* !» Je n'ai pas compris. Mais elle s'était démaquillée, et je crois que ma soeur n'est pas si laide que ça en fin de compte.

Je me suis endormi tout de suite. Je n'aurais pas dû parce que j'ai fait d'affreux cauchemars. Il y avait plein d'animaux dans mes rêves et Monsieur Toc aussi. Un chimpanzé était habillé comme Indiana Jones et il se battait dans la jungle contre une tribu d'hommes blancs. Au moment où le singe était capturé, Monsieur Toc arrivait avec une mitraillette. Moi, j'étais parmi la tribu d'hommes blancs et la mitraillette était pointée sur moi. Monsieur Toc a dit: «Jeune homme, vous allez mourir!» J'ai crié et le canon de la mitraillette a craché des morceaux de fruits qui se transformaient en pions comme dans les jeux de dames. Ensuite, le chimpanzé s'emparait de moi et me conduisait en haut de l'Empire State Building. Des aigles à tête blanche volaient dans le ciel. J'étais certain qu'ils attendaient que je meure pour me dévorer. Ils ont bien failli y arriver parce que le singe m'a laissé tomber et j'allais m'écraser dans la rue à je ne sais combien d'étages plus bas. Ce qui m'a sauvé, c'est un hurlement épouvantable. Je me suis réveillé. J'avais très chaud. Je me sentais mal et je ne savais plus très bien si j'étais encore dans mon rêve.

Le hurlement s'est fait entendre à nouveau. C'était une voix de fille et ça venait de pas très loin. Puis la fille a crié encore et j'ai reconnu Ozzie. J'avais horriblement peur, mais j'ai foncé quand même jusqu'à sa chambre. Je me prenais peut-être un peu pour un héros, je ne sais pas. Je crois que les films d'aventures m'influencent beaucoup.

Quand je suis arrivé dans la chambre, Hugo et Prune étaient déjà là. Ozzie était assise dans son lit et elle regardait en direction de la fenêtre. Ses yeux étaient grands comme je ne les avais jamais vus. Elle tremblait. Maman a serré sa fille tout contre elle.

— Qu'est-ce qu'il y a, Ozzie? Tu as fait un cauchemar?

Ozzie a pointé un doigt vers la fenêtre.

— Non, non, je ne dormais pas. J'ai vu... J'ai vu un monstre qui me regardait!

— Un monstre? a dit Hugo. Ce n'est pas un membre de ton orchestre qui est venu te rendre visite?

Ozzie ne l'a pas trouvée drôle. Elle a décidé de s'adresser seulement à Prune.

— Il me regardait. Son visage avait du poil partout. Et il avait des petits yeux qui brillaient dans le noir. C'était affreux! Quand je me suis mise à crier, il s'est enfui.

Il y a eu un silence et on était tous changés en statues. Puis papa a décidé de prendre les choses en main. Il s'est dirigé vers la fenêtre comme s'il n'avait pas peur.

— Ozzie, personne n'a pu monter jusqu'à ta fenêtre. Il aurait fallu une échelle ou bien escalader trois étages en s'agrippant au mur de la façade. Et les briques ne donnent aucune prise. C'est impossible.

Il a fait coulisser la fenêtre et s'est penché au-dessus du vide. Comme il ne voyait pas le monstre, j'ai eu le courage de me placer à côté de lui. Dehors, il n'y avait rien d'extraordinaire. C'était la nuit, les lampadaires éclairaient faiblement la rue déserte. Hugo regardait dans tous les sens sans rien distinguer de suspect. Il a ramené sa tête dans la chambre.

— Je ne vois personne.

Ozzie l'observait en se demandant si elle avait le droit d'être rassurée.

— Mais je l'ai vu, je te jure! Un monstre poilu avec des yeux qui me fixaient!

Prune et Hugo se sont regardés un moment. On aurait dit qu'ils communiquaient par télépathie.

— Sans échelle, a dit Hugo, il est absolument impossible de grimper jusqu'à la fenêtre, ça j'en suis sûr. La seule façon d'y parvenir, ce serait de monter au sommet de l'arbre et de faire ensuite un bond d'au moins sept mètres avant de s'accrocher au rebord de la fenêtre. Mais c'est humainement impossible. Tu as sûrement rêvé, Ozzie.

Devant l'immeuble où on vit, il y a un arbre planté juste au bord du trottoir. Hugo avait raison. La distance entre le sommet de l'arbre et la maison est trop grande pour qu'un homme réussisse le coup.

Hugo et Prune ont continué à faire du bien à Ozzie jusqu'à ce qu'elle aille mieux. Ensuite, elle est partie se coucher dans le fauteuil du salon, tandis que mes parents retournaient à leur chambre. Moi, j'ai essayé de me rendormir, mais il m'a fallu du temps. Ce n'est pas tous les jours qu'un monstre apparaît à la fenêtre de sa soeur.

Pendant au moins une heure, j'ai

observé la fenêtre de ma propre chambre en attendant que le monstre vienne me faire une grimace à mon tour. Ça n'est pas arrivé, mais inutile de dire que j'ai eu d'autres formidables cauchemars une fois endormi.

Chapitre IV

Le lendemain, je me suis réveillé avec plein d'animaux et de monstres dans la tête. Ce n'est pas la meilleure façon de se lever du bon pied. Il était déjà tard, Prune était partie depuis deux bonnes heures et Ozzie était allée déjeuner avec les membres de son orchestre. Je me suis dit qu'elle aurait toute une histoire à leur raconter.

Hugo m'a préparé des toasts et j'ai fini le déjeuner avec du yogourt aux bananes. Il voyait bien que je mangeais sans appétit. Alors il a essayé de me rassurer à propos du monstre. J'en avais bien besoin

— Ce matin, j'ai examiné la pelouse sous la fenêtre d'Ozzie. Je n'ai rien vu de particulier. Si quelqu'un avait utilisé une échelle, il aurait laissé des empreintes dans le gazon. Mais il n'y avait rien.

Il m'a fait un clin d'oeil entre hommes, puis il a lancé quelques blagues pour me faire oublier tout ça.

Ensuite, la radio a raconté une nouvelle à propos du saccage de trois pharmacies de la ville pendant la nuit:

La police émet l'hypothèse selon laquelle les responsables seraient de jeunes toxicomanes ou une bande de trafiquants de drogue. Curieusement, les vandales semblent s'être contentés de saccager sans commettre de vol.

À ce moment, je ne pouvais pas

deviner que cette nouvelle avait un rapport direct avec l'apparition du monstre dans la fenêtre d'Ozzie.

J'étais drôlement mêlé, je l'avoue. Je savais qu'il se passait des choses pas normales, mais je n'arrivais pas à faire tenir tout ça ensemble. Il fallait que je réfléchisse, bien sûr, mais par où commencer?

Je suis allé prendre l'air et j'ai essayé de mettre de l'ordre dans toute cette histoire. Le mieux était de considérer l'affaire comme une sorte de problème de mathématiques. Alors, lentement pour être sûr de ne pas me tromper, je me suis mis à additionner les faits, à les multiplier, les diviser, les soustraire. À la fin de ma promenade, j'avais trouvé un semblant de solution.

Un employé du zoo est mystérieusement disparu depuis plusieurs jours. Des animaux s'évadent de la fourrière. Un aigle vole au-dessus de la ville, mais on ne trouve les aigles que dans les zoos par ici. Les animaux du zoo sont agités, même qu'un ours se permet d'engueuler un visiteur. Des chimpanzés jouent aux dames en cachette dans leur cage. Un monstre poilu apparaît à Ozzie durant la nuit. Tous les éléments de l'équation se rapportaient aux animaux et au zoo. C'était simple et un héros comme Indiana Jones aurait décidé d'agir immédiatement.

Mais moi, je ne suis pas un héros. J'ai douze ans et je vis avec mon père et ma mère. Je savais ce qu'il fallait faire, je savais où je devais me rendre. Mais je n'avais pas de chapeau héroïque, ni de fouet et après tout je ne mesurais qu'un mètre quarante-cinq. Si je décidais de retourner au zoo pour y mener mon enquête, je risquerais d'affronter des dangers énormes.

J'avais besoin d'aide. Et c'est à ce moment-là que j'ai songé à mon ami Pouce. Pouce a beau n'avoir que quatorze ans, il est bâti comme un mastodonte. L'hiver, il joue au hockey. C'est un défenseur et ses adversaires n'osent pas trop s'aventurer entre lui et la bande. Comme on dit, c'est un adepte du jeu rude. Ses joueurs préférés dans la Ligue nationale, ce sont les fiers-à-bras. Pouce est aussi un amateur de films violents et il adore Rocky, Rambo,

Conan et tout le tralala. On n'est pas faits pour s'entendre, tous les deux. Et pourtant on est de grands amis. Parce qu'en vérité, Pouce n'est pas violent pour deux sous. Ses terribles muscles cachent un petit coeur tout ce qu'il y a de plus peureux.

Je me suis rendu chez lui en espérant qu'il serait là. L'été, son père l'engage comme déménageur. Il n'y a rien d'apeurant à transporter des meubles et des appareils électriques.

Il était chez lui, étendu devant la télé, en train de passer le vidéo du *Terminator*. Je l'ai fait sortir de la maison et je lui ai parlé comme quelqu'un qui complote quelque chose.

— Qu'est-ce qui te prend, Maxime?

— J'ai une sombre histoire à te raconter. Écoute-moi bien. J'ai besoin de ton aide.

Il m'a écouté. Il est très grand, Pouce. Alors, il doit se pencher quand je lui parle tout bas. Au fur et à mesure de mon récit, il s'est redressé peu à peu et ses yeux regardaient de plus en plus aux alentours. Il est très courageux sur la glace, mais quand il s'agit d'affronter

les réalités de la vie, ce n'est pas évident.

À la fin, il avait tout simplement l'air d'un condamné à mort une minute avant l'exécution.

— Mais ça n'a pas de bon sens, ce que tu me demandes là! C'est dangereux! Et puis qu'est-ce que nos parents vont dire s'ils découvrent la vérité?

— On n'a qu'à s'arranger pour qu'ils n'apprennent rien. Mon plan est infaillible. C'est à nous de le faire fonctionner comme il faut.

— Infaillible, infaillible... Et en plus, c'est illégal, ce que tu veux faire!

— D'accord, mais Rome ne s'est pas construite sans casser des oeufs.

J'avais déjà entendu Hugo me dire quelque chose qui ressemblait à ça. Mon proverbe n'a pas donné l'effet voulu, puisqu'il a fallu que j'argumente encore un peu. Mais Pouce est mon ami et il est très influençable. Il a fini par accepter.

Je me trouvais tellement audacieux que j'en étais fier. C'était donc réglé pour ce soir-là. Il me restait à annoncer à mes parents que je passerais la nuit chez Pouce comme je le fais de temps en temps. Hugo et Prune ne se douteraient de rien. Pendant ce temps, Pouce raconterait à ses parents qu'il dormirait chez moi.

Ce qui était excitant, c'est qu'on ne dormirait ni chez moi ni chez Pouce. En fait, on ne dormirait pas du tout cette nuit-là. Selon mon plan, on se rendrait au Jardin zoologique durant l'après-midi et on s'y cacherait quelque part en attendant la fermeture. À la nuit tombée, on sortirait de notre cachette pour une petite expédition. C'était la seule façon de savoir s'il se passait vraiment quelque chose de pas normal dans ce zoo!

Chapitre V

Le trajet en autobus s'est fait en silence. Quand Pouce ne va pas bien, il s'enfonce la tête dans les épaules et baisse les yeux sur ses grosses mains. Dans ces moments-là, il a l'air d'un gros bébé craintif. J'espère qu'il ne sera pas comme ça s'il joue un jour dans la Ligue nationale de hockey.

Il a presque fallu que je le force à entrer dans le zoo. C'était une autre belle journée ensoleillée et il y avait beaucoup de visiteurs. Des enfants montraient Pouce à leurs parents et ils souriaient comme devant un nounours.

L'atmosphère semblait avoir empiré depuis que j'étais venu avec Jo. Les animaux n'étaient plus seulement nerveux, ils étaient inquiétants. Peu importe où on se trouvait, impossible de ne pas entendre les cris presque désespérés des oiseaux. Ça me faisait quelque chose. C'était comme si ces oiseaux nous envoyaient un message qu'on ne pouvait pas décoder.

Le lion et la lionne se donnaient des coups de pattes en rugissant. On aurait dit une chicane de ménage. Un ours polaire se frottait la tête contre le mur de son enclos, comme s'il avait un furieux mal de bloc. Une louve hurlait toutes les cinq minutes sans raison apparente. Les otaries aboyaient au lieu de donner le spectacle que la foule attendait. Vraiment, je n'avais jamais vu ça! Il y avait de l'électricité dans l'air, comme on dit.

J'ai entraîné Pouce dans le pavillon des fauves et des primates pour lui présenter les chimpanzés. Curieusement, les singes en général étaient assez calmes. Des macaques se serraient les uns contre les autres, en famille, et le public trouvait ça bien mignon. Moi, je n'aimais pas ça. Je ne pouvais pas m'empêcher de croire que ces bêtes avaient peur. Mais peur de quoi? Plus loin, le gorille était assis dos à la foule. Il boudait.

Quant à mes deux chimpanzés, ils dormaient, adossés au mur du fond. Ou plutôt ils avaient l'air de dormir. Je les ai observés longtemps et j'ai fini par être sûr d'une chose. D'une chose totalement insensée, totalement impossible, que j'ai essayé de chasser de mon esprit. Oui, j'étais sûr que les chimpanzés ne dormaient pas, mais qu'ils réfléchissaient! Je n'ai rien dit à Pouce pour ne pas l'effrayer, puisqu'il commençait à se détendre. Et je ne voulais pas passer pour un fou.

Moi, je m'en faisais de plus en plus. On a mangé de grosses frites pas bonnes et des hot-dogs minables au restaurant en plein air. Pouce a dévoré cinq hot-dogs. Les deux miens me sont restés sur l'estomac. Il était dix-huit heures trente, la fermeture avait lieu une demi-heure plus tard. On devait donc se trouver une cachette très vite.

En face de l'enclos des chevreuils, il y a une forêt sans clôture mais interdite aux visiteurs. Même si ça n'avait pas été interdit, je ne serais jamais entré dans cette forêt auparavant. J'aurais eu bien trop peur d'y rencontrer des animaux en liberté. On a attendu de ne voir personne aux alentours, puis on s'est élancés entre les arbres. On ne s'est pas enfoncés tellement loin. L'important, c'était d'être cachés, pas de battre un record.

On est restés comme ça, à plat ventre dans les herbes, jusqu'à ce que le soleil se couche. Entre-temps, les employés du zoo avaient fait sortir les derniers visiteurs.

Il faisait très noir et plutôt froid maintenant. On n'entendait plus personne marcher devant les cages, plus de conversations joyeuses, plus de cris d'enfants. Il y avait toujours les cris des oiseaux et les grognements des bêtes. Moins nombreux que durant l'après-midi, mais assez pour qu'on se soit crus en pleine forêt équatoriale. Le reste du temps, le silence était lourd. J'ai encore pensé à Indiana Jones. On n'était pas habitués, nous, à ce genre d'expérience. À un certain moment, Pouce m'a pris la main. Il tremblait.

— Je veux m'en retourner chez moi.

— Tu as peur?

— Je comprends que j'ai peur! Pas toi?

— Juste un peu. Mais c'est à cause de l'inaction. Quand on va sortir de la forêt tout à l'heure, tu verras, la peur va disparaître.

Je disais n'importe quoi. En vérité, je n'avais jamais eu aussi peur de toute ma vie. J'ai demandé à Pouce quelle heure il était parce qu'il avait une montre. Il a répondu dix heures. Ça faisait donc plus de trois heures qu'on était étendus là comme deux imbéciles.

— Bon. Je pense qu'il est temps d'aller voir ce qui se mijote par là.

— Tu es sûr? Moi, je propose plutôt qu'on cherche un gardien et qu'on lui dise qu'on est perdus.

— Et nos parents, qu'est-ce qu'ils vont dire quand le gardien va les appeler au téléphone? Tu as envie de te faire engueuler?

Pendant que Pouce cherchait quoi répondre, j'en ai profité pour me lever. Lui, il ne bougeait pas. Je l'ai tiré par un bras, il était tout mou.

— Je ne suis pas venu ici pour passer la nuit dans la forêt. Lève-toi, Pouce. Ou bien tu vas rester ici tout seul.

Ce n'était pas très gentil de dire ça, mais ça a marché. On s'est dirigés vers l'orée du bois en tâchant de ne pas faire craquer les branches mortes. On ne voyait presque rien. Assez loin sur notre droite, l'éléphant a poussé un barrissement aigu. C'est un oiseau qui lui a répondu, avec un monstrueux cri à vous glacer le sang dans les veines.

Une fois hors de la forêt, j'ai vu qu'un daim nous observait dans son enclos. Il a dû avoir un peu peur de nous parce qu'il s'est enfui. J'ai regardé Pouce derrière moi. Tout ce que je distinguais de lui, c'était son énorme silhouette de joueur de défense et ses yeux grands comme des rondelles de hockey.

— Où on va maintenant?

— Partout. Comme ça, on est certains de ne rien manquer.

On chuchotait, évidemment. Mais il y a des animaux qui ont l'ouïe incroyablement fine. Un hurlement a retenti dans le zoo. Pouce s'est collé contre moi.

— C'est quoi, ça? Ça venait de tout près!

C'était la louve, celle qui avait passé l'après-midi à hurler. Je venais juste de me rendre compte qu'on ne l'avait plus entendue depuis la fermeture.

— Ça vient peut-être de très près. Mais tous les animaux sont en cage, il n'y a aucun danger.

Soudain, Pouce a levé un doigt vers le chemin qui filait devant nous et il a dit d'une voix toute déformée:

— Maxime... Si tous les animaux sont dans des cages, veux-tu bien me dire ce que c'est que ça, là-bas?

J'avais de la difficulté à voir ce qu'il me montrait, à cause de l'obscurité. Puis j'ai senti un long frisson dans mon dos et mon estomac a reçu une sorte de coup de poing imaginaire. Quelque chose venait de bouger sur le sentier, à

trente mètres de nous environ. C'était vivant, mais ce n'était assurément pas un être humain. Trop petit, trop poilu, et ça se dandinait comme je n'avais jamais vu personne le faire. J'ai tout de suite pensé au monstre qui avait donné la frousse à Ozzie.

Sans réfléchir, je me suis jeté au sol et j'ai roulé jusqu'au fossé qui bordait le chemin. Pouce est venu me rejoindre

avec une seconde de retard. Le monstre continuait sa route en se dandinant, puis il s'est arrêté. J'étais sûr qu'il nous avait entendus. Il a tourné la tête vers l'arrière, c'est-à-dire dans notre direction, et il est resté comme ça durant un bon moment. Pouce et moi, on retenait notre respiration. Puis la silhouette poilue a repris sa marche et ensuite la nuit l'a effacée.

Pouce était au bord des larmes. Pour lui redonner du courage, je lui ai tapoté la main. Quelle hypocrisie de ma part! Je songeais à Hugo et à Prune et je me disais que ce serait merveilleux si l'un ou l'autre me serrait dans ses bras en ce moment. L'un ou l'autre ou les deux.

Mais on s'était trop engagés pour reculer maintenant. Le monstre n'était plus visible, alors j'ai fait signe à Pouce qu'il fallait continuer notre exploration.

On a marché sur le chemin en faisant bien attention au bruit. Dix minutes plus tard, rien ne s'était produit et on était arrivés dans le quartier des ours. Tout à coup, Pouce a touché mon bras.

— Regarde!

J'avais fini par comprendre qu'il voyait mieux que moi dans l'obscurité. Une mince silhouette remuait devant la cage des Kodiac. On s'est étendus sur le sol. Je regardais attentivement parce que la silhouette me rappelait quelque chose. Ou plutôt quelqu'un. C'était celle d'un homme un peu courbé, donc pas très jeune, et sur sa tête il y avait une casquette. Je l'ai reconnu! C'était Monsieur Toc, le gardien qui n'aimait pas les lanceurs de pop-corn!

Si je n'avais pas eu si peur, j'aurais souri. Parce que cette scène signifiait que j'avais eu raison de me méfier de cet homme. Monsieur Toc était en train de faire quelque chose qu'il n'avait certainement pas le droit de faire. Il ouvrait la cage de l'ours Kodiac! Les Kodiac sont les ours les plus redoutables et les plus voraces. L'animal est descendu de la cage et il s'est approché de Monsieur Toc. J'ai murmuré:

— Cet homme est en train d'ouvrir les cages des animaux! Si l'ours sent notre présence...

Pouce avait compris. C'était la panique. On a pris nos jambes à notre cou sans regarder où on allait. On s'est retrouvés devant un boisé. J'ai emprunté un sentier et j'ai couru, couru, couru. J'avais l'impression que l'ours Kodiac nous poursuivait, mais ça c'était vraiment mon imagination. Puis une maison est apparue devant nous, toute neuve, toute propre, luisante de verre et de bois verni. Elle n'avait qu'un étage. On s'est arrêtés pour souffler un peu. La forêt noire et menaçante nous entourait. À part les cris des animaux et le bruit de nos respirations, on n'entendait rien.

J'ai regardé à travers une des fenêtres. Au début, je ne voyais rien, puis j'ai fini par comprendre que ce n'était pas une maison ordinaire. Au lieu de voir un salon ou une cuisine ou une salle à manger, je distinguais des appareils étranges. Pouce est venu m'aider. Comme il voyait mieux que moi, il a dit:

— Il y a un ordinateur là-dedans. Et des tables avec des flacons, des armoires, des écrans.

— Un laboratoire! Mais qui peut bien faire des expériences ici? Et pourquoi?

— Pourquoi, je ne sais pas. Mais

ton zoologue disparu, là, le docteur Moineau ou quelque chose comme ça? C'est peut-être lui qui travaillait là-dedans?

J'ai regardé Pouce avec admiration.

— Le docteur Merle! Oui, tu as raison, c'est sûrement ça! Hé bien, si on veut avoir le fin mot de cette histoire, il faut entrer dans ce labo.

— Tu es complètement fou, Maxime! Si on se fait prendre? Si l'ours s'amène par ici?

— On est déjà dans le bain jusqu'au cou. Quant à l'ours, il n'a rien à faire dans une maison.

On a discuté encore un peu et Pouce s'est finalement laissé convaincre. Je ne sais pas ce qui me prenait, mais c'était plus fort que moi. Il fallait que j'aille visiter ce labo!

Chapitre VI

Avec ses bras d'athlète, Pouce a réussi à ouvrir une porte-fenêtre sans faire éclater la vitre. On est entrés sur la pointe des pieds. Naturellement, il n'était pas question d'allumer la lumière.

Dans le local, il y avait des fioles de toutes les tailles, des éprouvettes, des bocaux remplis de liquides écoeurants. Quelques appareils aussi, comme l'ordinateur. C'était impossible pour nous de deviner à quoi tout ça pouvait bien servir. À des expériences sur les animaux, bien sûr, puisqu'on était dans un zoo. Mais quel type d'expériences?

Après dix minutes, la visite était finie et on n'avait rien trouvé d'intéressant. Puis Pouce s'est penché vers le sol et il a soulevé quelque chose.

— Oh, Maxime! Viens voir!

Il avait découvert une trappe dans le plancher. Un escalier descendait dans le trou béant et profond. Pouce a dû regretter d'avoir découvert ça parce j'ai posé un pied sur la première marche.

— Tu ne vas pas descendre là-dedans?

J'avais déjà disparu dans l'ouverture. Pouce n'avait pas d'autre choix que de me suivre.

L'escalier était court et on s'est vite retrouvés dans un couloir plutôt étroit et plongé dans la noirceur. J'ai touché le mur, c'était gluant et froid. Il fallait être solidement dingues pour continuer à avancer là-dedans. Pouce s'appuyait

contre mon dos, il tremblait plus que jamais. Moi, j'ouvrais grands les yeux et mon coeur battait terriblement fort. Mes jambes étaient molles.

Plus loin, le couloir tournait à droite. Après une dizaine de mètres, il tournait encore, mais à gauche. Je me demandais ce qu'on ferait si l'ours Kodiac avait l'heureuse idée d'apparaître soudain dans notre dos. Je me suis rassuré en me disant qu'il ne passerait pas à cause de sa taille. Mais il y a des animaux plus petits et tout aussi dangereux. Et le monstre, je ne l'avais pas oublié. C'était très risqué, ce qu'on était en train de faire, et parfaitement idiot.

Le couloir a tourné encore et cette fois il y avait de la lumière au bout. J'ai fait signe à Pouce de garder le silence. On s'est approchés lentement. Le couloir débouchait sur une grande salle remplie elle aussi d'appareils et d'armoires. C'était un laboratoire, mais trois fois plus vaste que celui d'en haut. Il y avait beaucoup d'ordinateurs et plein de machines que je ne connaissais pas. J'étais impressionné et effrayé. Les laboratoires secrets, même dans les

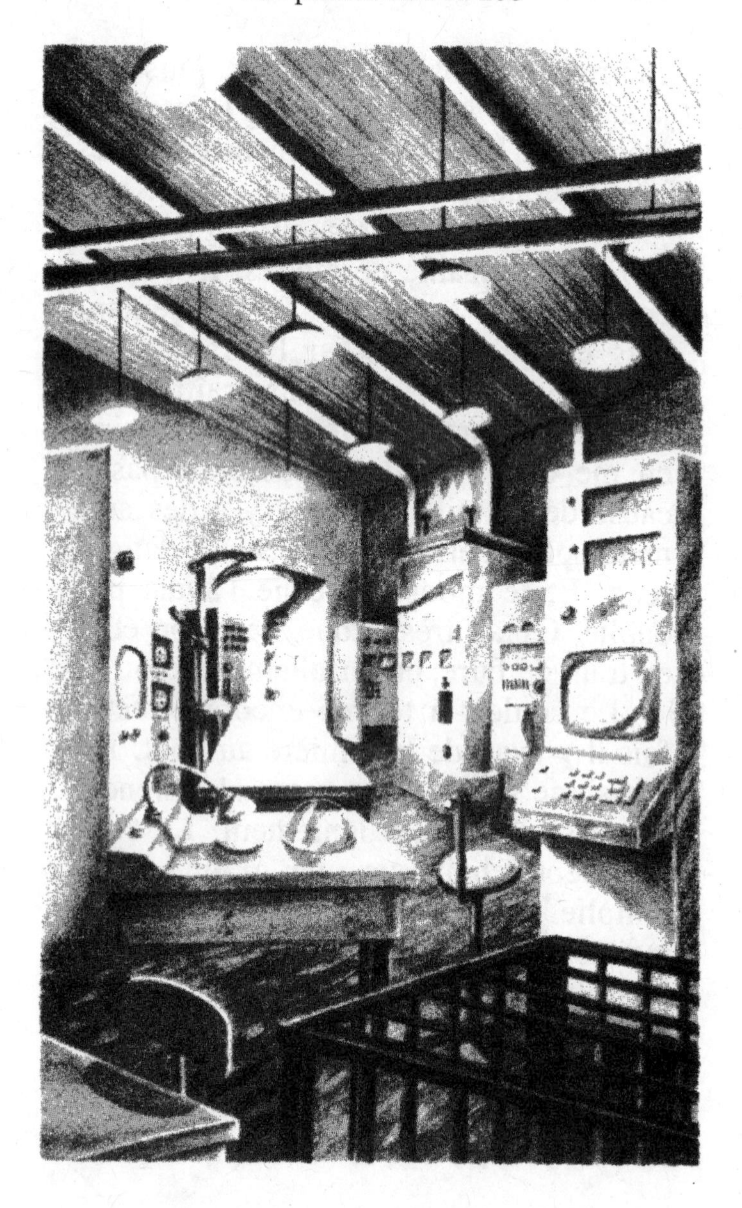

films, ça m'a toujours fait peur.

Au fond de la salle, il y avait plusieurs cages vides. Ça confirmait l'hypothèse des expériences sur les animaux. Puis j'ai vu quelque chose bouger dans l'une des cages. J'ai regardé comme il faut. Celle-là n'était pas vide, il y avait un animal à l'intérieur! Non, pas un animal: un homme!

Il s'étirait comme s'il venait de se réveiller. Il était petit, portait de grosses lunettes et il avait une barbe de quelques jours. Je l'ai reconnu presque tout de suite, parce que cette tête-là, je l'avais vue à la télévision. C'était le docteur Merle!

Je me suis vite reculé pour ne pas être vu. Pouce me dévisageait. Il n'avait pas encore aperçu le docteur Merle, lui.

— Le zoologue disparu! Il est là-dedans, dans une cage!

— Mais ça veut dire qu'il a été enlevé! Quelqu'un le garde prisonnier ici! Pourquoi?

Je ne savais vraiment pas, mais j'avais déjà mon coupable. Monsieur Toc! Qui d'autre que lui pouvait avoir fait ça? Son dégoût des humains et ses mystérieuses activités nocturnes en faisaient un personnage très très louche. Il libérait des animaux dangereux pendant qu'un scientifique était retenu prisonnier dans cette cage! C'était immonde! Quelle sorte d'individu était donc ce Monsieur Toc et quels étaient ses buts?

On ne pouvait plus rester là. Il nous fallait fuir, quitter le zoo au plus vite, raconter tout ça à la police. On a refait le chemin en sens inverse. En courant, cette fois. Je me sentais pressé, comme si je savais que quelque chose allait nous tomber sur la tête d'une seconde à l'autre.

On a enfilé les couloirs souterrains sans trébucher trop souvent. Je me suis senti un peu mieux quand j'ai vu l'escalier tout au bout. On est montés. Dans le premier labo, il n'y avait toujours personne. On est sortis prudemment de la maison.

Une demi-lune éclairait faiblement le décor. J'avais toujours l'impression d'un danger imminent. Après quelques mètres, une branche morte a craqué derrière nous. On s'est retournés sans rien voir. Pourtant, on savait qu'il y avait quelque chose et cette certitude nous a donné des ailes. On s'est mis à courir comme deux voleurs poursuivis par un agent de police. Le bruit de course augmentait derrière nous et la chose qui nous suivait se rapprochait.

Pouce a commencé à gémir. Un peu plus et il se mettait à appeler sa mère. Mais je n'étais pas tellement plus brave. J'avais le goût de hurler comme si je tombais dans un précipice sans fond.

Tout à coup, un mur s'est dressé devant nous. Je n'ai même pas eu le temps de me demander ce qu'il faisait là. L'évidence s'imposait: on était coincés, le mur formait une sorte de cul-de-sac! On s'est retournés face à notre poursuivant. Dans la pénombre du bois, deux yeux jaunes se sont allumés. Ils étaient fixés sur nous.

L'être qui était là avait compris qu'on était faits comme des rats. Il avançait lentement, en prenant bien son temps comme s'il voulait nous faire mourir de peur. Puis il s'est dégagé des arbres et on a vu ce que c'était.

Je ne savais pas combien d'animaux Monsieur Toc avait libérés comme ça.

Mais je me serais bien contenté d'un lama ou d'un raton laveur ou, en forçant, d'un porc-épic. À la place, on avait devant nous une panthère noire, l'une des bêtes les plus effroyables qu'on puisse trouver dans un zoo. Et il n'y avait aucun barreau entre elle et nous. Cette fois, Pouce n'était plus capable de se retenir: il a poussé un long cri de terreur et de détresse.

La panthère noire était toute proche maintenant et on pouvait admirer sa formidable dentition. Des crocs bien aiguisés et tout propres. Vraiment, les vétérinaires pouvaient se vanter de faire du beau travail. L'animal s'approchait de nous au ralenti, exactement comme un chat qui veut jouer un sale tour à un moineau. Puis il s'est immobilisé, il a ouvert sa gueule au grand complet et un rugissement atroce est sorti de sa gorge. Je ne pouvais plus faire un geste, c'était trop horrible.

Au moment précis où la panthère allait bondir, des branches se sont écartées derrière elle. Une autre bête est apparue en se dandinant. Pris de terreur, j'ai reconnu le monstre. Puis il y en

a eu un autre semblable. C'était épouvantable, vraiment Pouce et moi, on ne méritait pas ça. La panthère est restée sur place et les deux êtres se sont approchés de nous. J'ai vu alors que ce n'étaient pas tout à fait des monstres. J'ai compris aussi quelle était exactement la chose qu'Ozzie avait vue dans sa fenêtre.

Les deux monstres poilus étaient en réalité des chimpanzés. Mes chimpanzés. C'est-à-dire les deux comiques qui jouaient aux dames quand les visiteurs ne les regardaient pas. L'un d'eux a posé une main sur les flancs de la panthère et il lui a donné quelques petites tapes. La bête nous a lancé un regard furieux avant de tourner les talons et de disparaître dans la forêt. Avec les singes, il y avait aussi d'autres animaux. Un daim aux yeux à la Walt Disney, une girafe, un paon et des oiseaux qui faisaient du surplace en silence.

Pouce a eu un long soupir. On aurait dit un énorme ballon de plage qui se dégonfle. Moi, je regardais les deux singes sans parvenir à croire qu'ils venaient de nous sauver la vie. Puis il y a encore eu du bruit devant nous et une voix d'homme a lancé un appel.

— Ronald! Mikhaïl! Est-ce que tout va bien?

Monsieur Toc est sorti d'entre les arbres et il s'est mis les poings sur les hanches en nous apercevant.

— Ah, c'était donc ça! On a affaire à des espions!

L'un des chimpanzés lui a fait des signes avec ses mains.

— Ne t'en fais pas, Mikhaïl. Je vais remettre la panthère dans sa cage.

L'autre singe a agité les mains à son tour et Monsieur Toc a fait oui avec sa tête.

— Vous allez vous occuper d'eux? Très bien, Ronald. Je vous rejoindrai plus tard.

Puis Monsieur Toc s'est avancé vers moi en plissant les paupières.

— Ah, mais je vous reconnais,

vous! Vous êtes venus faire un tour au zoo cette semaine!

— Laissez-nous partir, Monsieur Toc. On ne dira rien à personne, je vous le promets.

— Ah, ah, ah! Ce n'est pas à moi de décider, mon petit ami. Mikhaïl et Ronald sont assez intelligents pour savoir ce qu'ils ont à faire.

Puis il s'est éloigné, en nous laissant tout seuls avec les deux chimpanzés et les autres animaux. Pouce était tellement mal qu'il en claquait des dents. Un chimpanzé lui a saisi un bras, tandis que l'autre faisait de même avec moi. Pouce s'est laissé faire, mais moi, j'ai refusé de bouger. Le singe ne s'est pas fâché. Il m'a regardé un moment, puis il s'est penché sur le sol. Avec son doigt, il a tracé des signes dans la terre molle. Voilà que mes hallucinations me reprenaient! Il était en train d'écrire une phrase!

Suivez-nous. Pas de danger.

J'avais l'impression d'être dans un rêve. Plus rien n'avait de sens. Après avoir vu ça, tout ce qu'il me restait à faire, c'était d'accepter l'impossible.

Chapitre VII

Ronald et Mikhaïl nous ont conduits dans la maison qu'on venait de quitter. La girafe, le daim et les oiseaux sont restés dehors. Ensuite, les singes nous ont fait signe de descendre par l'escalier qui menait aux couloirs souterrains. Naturellement, Pouce et moi, on se demandait ce qu'ils allaient nous faire. Le singe avait écrit *Pas de danger*, mais c'était quand même assez difficile de lui faire confiance.

On est arrivés dans le second laboratoire et le docteur Merle s'est mis à engueuler les singes en les voyant. Il gesticulait dans sa cage, il sautait sur place, il s'arrachait les cheveux. Je l'ai trouvé un peu hystérique, mais ce n'était pas moi qui étais enfermé là depuis plusieurs jours.

— Libérez-moi, stupides animaux! Libérez-moi ou vous allez le regretter!

Sans s'énerver, un chimpanzé s'est approché d'un ordinateur et il l'a mis en marche. Il nous a demandé de venir

plus près de l'écran. Puis il a enfoncé quelques touches et ensuite il a tapé des mots sur le clavier. Des phrases sont apparues à l'écran:

Je suis Ronald. Mon compagnon est Mikhaïl. Le docteur Merle est méchant.

D'où il était, le docteur Merle pouvait voir l'écran de l'ordinateur. Il s'est mis à hurler.

— Ne les croyez pas! Ces animaux sont des menteurs! Des escrocs!

Je ne savais plus qui je devais croire. Mais ça me déplaisait de voir le docteur Merle dans une cage. J'ai demandé à Ronald de le libérer. Les deux singes ont eu un conciliabule et finalement Mikhaïl a ouvert la cage. Le docteur est sorti et il nous a regardés, Pouce et moi, avec une grimace effroyable.

— Je suis le docteur Zaïus Merle, zoologue de réputation internationale. Ces animaux me retiennent prisonnier ici depuis près d'une semaine. Ce sont des bandits et le gardien est leur complice. Ils préparent actuellement un monstrueux complot contre l'humanité. Il faut les empêcher d'agir!

Ronald lui a répondu aussitôt.

Le docteur Merle tente des expériences sur les animaux pour faire le mal. Nous ne voulons pas.

— C'est faux! criait le savant. Grâce à moi, ces bêtes sont devenues intelligentes! Je leur ai donné la conscience et maintenant elles veulent s'en servir pour écraser l'humanité!

Je ne comprenais pas grand-chose à tout ça. Et je n'étais pas encore remis de ma surprise de voir un singe taper sur un clavier d'ordinateur. Pour le moment, Pouce et moi, on regardait les singes et le savant se renvoyer la balle, comme dans un match de ping-pong.

Le docteur Merle a fait la substance Z-Plus par hasard. Il ne savait pas que cela nous rendrait plus intelligents. Il voulait réussir à communiquer avec les animaux pour se faire obéir mieux.

Chaque fois que Ronald écrivait quelque chose, le docteur criait. Mikhaïl s'est approché de lui en grognant pour le faire taire. Le docteur Merle s'est tenu un peu plus tranquille. J'avais déjà lu dans un magazine que les chimpanzés adultes sont très forts et qu'ils peuvent facilement casser le bras d'un homme. À la place de Merle, je me serais calmé, moi aussi.

Puis Monsieur Toc est arrivé sans faire de bruit. Il avait son sourire malicieux, mais il ne parlait pas. Le docteur Merle lui faisait de gros yeux et la haine dans son visage n'était pas jolie à voir. Moi, j'avais des questions, alors j'ai interrogé Ronald.

— Le docteur dit que vous préparez un complot contre l'humanité?

Nous ne voulons faire mal à aucun être humain. Nous refusons de participer à ses expériences. Nous voulons être libres. Nous ne voulons plus être dans des cages. Nous ne voulons pas que les animaux soient enfermés. Nous ne voulons pas que les animaux meurent.

Ronald tapait avec conviction. Je ne saisissais pas encore très bien tout ce qu'il racontait. Complètement abasourdi, Pouce suivait notre dialogue.

— Si vous ne voulez faire aucun mal aux humains, pourquoi avez-vous enfermé le docteur dans une cage?

Le docteur Merle est méchant. Nous l'avons enfermé aussi parce qu'il ne veut plus fabriquer le Z-Plus. Nous avons besoin du Z-Plus pour rester intelligents.

Le docteur Merle a ricané.

— Ne comptez pas sur moi pour vous fournir à nouveau cette substance, bande de primates! Je suis le seul à connaître la formule. Vous pouvez m'enfermer, me priver de nourriture, me torturer: vous n'aurez rien!

Le petit homme aux yeux sévères m'était de moins en moins sympathique. J'avais le goût de lui dire de se taire et de laisser Ronald m'expliquer tout seul ce qui se passait dans ce zoo. Je m'apercevais que j'étais davantage porté à croire le chimpanzé que ce fameux savant de réputation internationale.

Mais le docteur s'est mis à parler un peu comme s'il donnait une conférence.

— Laissez-moi éclaircir les faits. Depuis cinq ans, je suis responsable d'un projet au Jardin zoologique. Ce projet est financé par une agence de recherches gouvernementale.

Monsieur Toc l'a coupé.

— Un projet secret financé par les services d'espionnage de l'armée! Importante précision, cher docteur! Et la direction du zoo a été plus ou moins forcée de collaborer, même si elle ne savait pas vraiment en quoi consistait le projet.

Merle a fermé les yeux une seconde pour rester calme. Il voulait faire semblant de ne pas avoir entendu.

— La nuit, je faisais des expériences dans ce labo souterrain. Je cherchais à améliorer les méthodes de domptage des bêtes et aussi à trouver de nouvelles façons de communiquer avec elles. J'ai testé des substances chimiques destinées à accroître la «concentration mentale» des animaux. L'une de ces substances, le Z-Plus, a donné des résultats inattendus. Les animaux à qui le Z-Plus a été injecté sont devenus plus conscients d'eux-mêmes et aussi plus intelligents. Certains singes ont appris de nouveaux moyens de communication. Ronald et Mikhaïl ont réussi à apprendre à lire et à écrire. Si les singes possédaient les organes nécessaires, nous aurions réussi à les faire parler comme nous.

Le savant nous a regardés, Pouce et moi, pour bien voir si on appréciait son génie. J'ai jeté un coup d'oeil à Monsieur Toc qui ne souriait plus.

— Les animaux qui ont reçu le Z-Plus n'ont pas tous acquis la même intelligence, parce que chaque espèce a ses limites propres. Le cerveau d'un goéland n'a pas la même taille ni la même complexité que celui d'un chimpanzé, par exemple. En tout, il y a seulement une vingtaine d'animaux qui sont vraiment devenus plus intelligents. Par la suite... euh... disons que les recherches ont commencé à... euh... à piétiner.

— Elles vous ont complètement échappé, en fait! a lancé Monsieur Toc.

Puis il s'est adressé directement à Pouce et à moi. Il était rouge comme s'il avait très chaud.

— Les singes ont commencé à poser des questions, mais les scientifiques ne voulaient pas leur répondre. Les animaux les plus brillants se sont mis à réfléchir et à discuter entre eux. Les chimpanzés ont compris que les buts du projet étaient néfastes. Ils ont donc décidé de ne plus collaborer et les autres bêtes ont suivi leur exemple. Finalement, Merle s'est retrouvé seul à travailler au zoo.

— Vous trouvez néfaste de donner l'intelligence à des bêtes stupides? a dit le docteur Merle.

— Espèce d'hypocrite! Vous n'étiez pas ici pour leur faire de cadeau. Le seul but de vos recherches était de savoir si les animaux pouvaient être utilisés dans des missions militaires et d'espionnage. Mais en apprenant à lire, Ronald et Mikhaïl ont eu l'occasion d'apprendre beaucoup de choses sur les humains et sur notre société. Avant, ils ne savaient pas qu'il y avait des zoos dans tous les pays, que les bêtes étaient enfermées dans des cages partout dans le monde. Ils ne savaient pas non plus que plusieurs espèces animales étaient en voie d'extinction. Ronald, Mikhaïl et les autres singes se sont révoltés. Et lentement leur révolte s'est étendue aux autres animaux qui avaient reçu le Z-Plus.

Pour bien montrer qu'il était d'accord, Ronald a recommencé à taper.

Nous n'acceptons plus d'être dans des cages. Nous voulons retourner dans la nature. Nous préparons notre fuite. Nous voulons que tous les animaux soient libres et qu'ils retournent dans la nature.

— Les singes à qui la substance a été injectée mènent une sorte de campagne auprès des animaux du zoo. Ils veulent les éduquer et les convaincre de ne plus accepter leur sort. Mais le problème, c'est que certaines bêtes qui n'ont pas reçu le Z-Plus sont complètement abruties par leur vie dans le zoo. D'autres animaux ne sont pas devenus assez intelligents pour contrôler leurs émotions.

C'est donc ça qui expliquait la grande nervosité que j'avais remarquée pendant mes visites et la réaction de l'ours Kodiac, par exemple. Plusieurs animaux étaient devenus agressifs et il n'y avait rien à faire avec eux.

— Il y a aussi un grave problème de communication, parce que le langage des animaux est loin d'être le même d'une espèce à l'autre.

— Et vous, Monsieur Toc? Que faites-vous dans tout ça?

C'est Ronald qui a répondu à sa place.

Monsieur Toc nous aime. Il nous aide. Il ouvre nos cages la nuit. Nous essayons de communiquer avec tous les animaux du zoo. Nous aidons les animaux du dehors aussi.

— C'est eux qui ont libéré les bêtes que la S.P.A. avait emprisonnées. La nuit, ils profitent aussi de leur liberté pour observer les humains dans le but d'apprendre comment ils vivent.

Le monstre qui avait fait tellement peur à Ozzie, c'était Mikhaïl en mission d'observation. Même chose pour l'aigle que plusieurs témoins avaient aperçu au-dessus de la ville.

— Ils vous espionnent! a crié le docteur Merle. Ils veulent contrôler l'humanité, la réduire en esclavage!

Le docteur Merle ne veut plus fabriquer le Z-Plus. Sans le Z-Plus, nous allons perdre notre intelligence. Des animaux sont déjà revenus à leur état d'avant. Mikhaïl et moi, nous perdons notre intelligence. Dans quelques jours ou dans quelques heures, nous redeviendrons des singes ordinaires. Nous ne voulons pas. Il nous faut le Z-Plus pour sauver les animaux du monde.

Monsieur Toc a ajouté avec tristesse:

— Ils ont saccagé les pharmacies, l'autre nuit. Parce qu'ils sont privés de Z-Plus, ils ont essayé désespérément d'en trouver en dehors du zoo. Merle est le seul à pouvoir en produire et ils s'en sont retournés les mains vides.

J'avais du chagrin pour tous ces animaux qui ne voulaient pas perdre leur intelligence. J'essayais de m'imaginer à leur place. Et je me disais que si je devais perdre mon intelligence d'un jour à l'autre, je serais sûrement plus agressif que les deux chimpanzés.

Pour la première fois, je comprenais que ça devait être atroce de vivre dans une cage au lieu d'être libre. Je ne pouvais pas blâmer ces animaux de vouloir retrouver leur milieu naturel.

Merle s'est mis à crier.

— Crétins, crétins! Vous êtes tous des crétins! Des singes tarés, deux enfants avec encore la couche aux fesses et un gardien de zoo complètement sénile! Vous allez bien ensemble, tous les cinq! Vous oubliez que c'est moi qui ai sorti ces animaux de leur stupidité.

— Pour qui vous vous prenez, dites-moi? a répondu Monsieur Toc. Vous vous croyez plus fin que les animaux enfermés dans ce zoo? Pour qui les humains comme vous se prennent-ils? Vous chassez des bêtes sans défense avec vos fusils, vous exterminez des espèces entières, vous rendez idiots les animaux dans vos maisons et dans vos zoos! Vous détruisez les forêts où ils vivent, vous salissez la mer, les lacs, les fleuves, l'air! Avez-vous des leçons à faire aux bêtes, avec vos famines, vos dictateurs, vos bombes, vos guerres?

— Docteur Merle, soyez humain! Acceptez de fabriquer le Z-Plus!

Le docteur Merle avait des yeux de fou comme les savants des films d'horreur.

— Il n'en est absolument pas question! J'ai commis une erreur en donnant l'intelligence à ces bêtes. Les animaux sont des êtres inférieurs et ils doivent obéir à l'Homme. Pas lui dicter sa conduite. Dans quelques heures, tous les animaux qui ont reçu le Z-Plus seront redevenus ce qu'ils n'auraient jamais dû cesser d'être: des brutes sauvages, imbéciles et puantes!

J'ai essayé de le raisonner encore un peu, mais ça ne servait vraiment à rien. Et plus il s'entêtait, moins j'avais de respect pour lui.

Pouce avait les paupières lourdes.

On était épuisés, tous les deux, après une journée et une nuit pareilles. Dans mon esprit, les choses n'étaient pas parfaitement claires. Mais mes sentiments, eux, étaient bien nets.

J'étais résolu à aider les animaux. Je comprenais maintenant pourquoi Monsieur Toc ouvrait leurs cages et pourquoi il ne paraissait pas beaucoup aimer les humains. Moi-même, je n'aimais pas beaucoup le docteur Merle.

Je me disais que j'y verrais plus clair le lendemain et que je pourrais faire quelque chose. Je parlerais de tout ça à Hugo et à Prune. J'avertirais la police. J'irais voir le premier ministre s'il le fallait.

Les singes se sont approchés de Merle pour le remettre dans la cage. Il s'est débattu. Il a essayé de s'enfuir, mais les singes étaient plus rapides et plus agiles que lui. Une fois dans sa cage, il s'est remis à crier comme un hystérique.

On est tous remontés jusqu'au premier laboratoire. Puis Monsieur Toc nous a conduits dans un boisé, et je crois que Pouce et moi, on s'est endormis immédiatement.

Chapitre VIII

C'est le soleil dans mes yeux qui m'a réveillé. Il était déjà haut à ce moment-là. J'ai réveillé Pouce et je lui ai demandé l'heure. Dix heures et quart.

On est sortis du boisé, puis on a fait comme si on était des visiteurs ordinaires. À la sortie du zoo, on a pris l'autobus.

Aucun de nous n'avait le goût de parler. On était encore tout engourdis de sommeil. Un peu plus et je me serais demandé si notre aventure était autre chose qu'un rêve. Un mauvais rêve. Un cauchemar triste.

À la maison, j'ai dit à Hugo que j'avais mal dormi chez Pouce et je me suis étendu sur mon lit. Je crois qu'Hugo m'a trouvé bizarre et il avait bien raison. Hugo est très fort en psychologie. Alors, il n'a rien dit du tout et j'ai dormi jusque vers le milieu de l'après-midi.

Quand je me suis réveillé, mon père était assis à côté de moi sur le lit. Il me regardait avec un beau sourire. Mais

j'ai vu tout de suite qu'il était inquiet.

— Tu t'es un peu reposé, Maxime?

— Oui.

— Maxime?...

— Oui, Hugo?

— Tu me diras la vérité seulement quand tu en auras envie, ça va?

— Oui.

Puis il a perdu son sourire et il a dit:

— J'ai écouté les nouvelles à la radio tout à l'heure. Des animaux se sont évadés du zoo très tôt ce matin.

Je me suis redressé dans mon lit.

— Quoi?

— Oh, pas beaucoup. Seulement

cinq ou six. Il paraît qu'un des gardiens aurait ouvert leurs cages. Mais c'est déjà fini. Le personnel du zoo et des agents de police sont parvenus à ramener tous les animaux. Personne n'a subi de blessure. Le plus difficile, ça a été de capturer l'éléphant.

Il a ricané pour rendre la nouvelle moins dramatique. J'ai sauté en bas de mon lit et j'ai entraîné Hugo vers la porte.

— Il faut y aller, papa! Je ne veux pas qu'ils fassent de mal à Monsieur Toc!

— Monsieur Toc? Qui est-ce?

— C'est le gardien qui ouvre les cages! Il est gentil, il aime les bêtes!

Hugo a réfléchi très fort en me regardant sans un mot. Puis il a fini par dire:

— Il faudrait passer au garage de Prune. C'est elle qui a l'auto.

Une demi-heure plus tard, on était dans la voiture. Hugo a allumé la radio et on a foncé sur la route qui mène au Jardin zoologique. Hugo conduisait plus vite que d'habitude. Il avait l'air tendu, mais il ne m'a pas posé de question.

Moi, j'étais trop mêlé et affolé pour tout lui raconter maintenant. J'attendais les Informations à la radio. J'avais hâte de savoir si tout était redevenu normal au zoo et s'il était arrivé quelque chose à Monsieur Toc. Je me demandais si la police avait découvert le laboratoire souterrain, si le docteur Merle avait été libéré, bref je me posais des questions à n'en plus finir. Avant qu'on arrive au zoo, il y a eu un bulletin de nouvelles.

Le présumé responsable s'est réfugié dans un petit bâtiment servant de laboratoire de recherches expérimentales. La police a cerné la maison, mais l'individu refuse de se rendre .

Hugo s'est dirigé vers le stationnement. J'ai enfin sauté de la voiture et j'ai couru jusqu'à l'entrée du zoo. Une pancarte disait: FERMÉ POUR LA JOURNÉE. Je ne me suis pas arrêté, j'ai franchi l'entrée en courant. Quelqu'un a crié derrière moi et plus loin des hommes ont essayé de me barrer la route. Je me suis faufilé entre eux. Je pense que personne n'aurait pu m'arrêter à ce moment-là.

Le petit bois du laboratoire est

apparu devant moi. Mais je n'ai pas eu besoin d'y entrer, parce que tout à coup j'ai vu des policiers qui encadraient un homme. Ils marchaient lentement dans ma direction. J'ai cessé de courir. Les employés du zoo qui me poursuivaient m'ont mis la main sur l'épaule en disant: «Dis donc, mon jeune, qu'est-ce qui te prend?» Je n'ai pas répondu. Je regardais Monsieur Toc qui s'en venait vers moi, menottes aux poignets. Il marchait la tête haute. Il souriait. Mais quand je l'ai vu de plus près, j'ai compris qu'il était un peu malheureux. Puis Hugo est arrivé en soufflant. Quelqu'un lui a demandé si j'étais son fils et Hugo a répondu que je savais ce que je faisais.

Les policiers et Monsieur Toc se sont arrêtés tout près de moi.

— Bonjour, jeune homme, a dit le vieux gardien.

— Monsieur Toc, qu'est-ce qui s'est passé? Qu'est-ce que vous avez fait?

— J'ai essayé de libérer quelques animaux, c'est tout. Ne vous en faites pas, jeune homme. Je ne resterai pas longtemps en prison, ce n'est pas un bien grand crime que j'ai commis. Par contre, les animaux du zoo sont en prison à perpétuité, eux. Quel gâchis!

— Et le docteur Merle?

— Hé bien, je l'ai libéré, lui aussi, ce matin. Il est sans doute parti tout raconter à ses patrons. Ou bien il est allé voir la police, je ne sais pas.

Un des policiers est intervenu.

— Le docteur Merle va témoigner contre vous. Il vous accuse de l'avoir gardé prisonnier ici.

Le sourire de Monsieur Toc s'est agrandi.

— Je n'ai rien à voir là-dedans, cher monsieur. Ce fou était retenu prisonnier par les animaux. Ils l'avaient enfermé dans le sous-sol du laboratoire. S'ils m'avaient laissé faire, je lui aurais fait subir un sort beaucoup moins enviable!

Évidemment, personne ne croirait que les animaux étaient les coupables. Les policiers regardaient Monsieur Toc comme s'il était un assassin. Le plus gros des deux l'a bousculé pour qu'il avance.

Monsieur Toc m'a fait un clin d'oeil, puis il s'est laissé entraîner vers la sortie. Hugo s'est accroupi devant moi.

— Il serait peut-être temps de partir maintenant, hein, Maxime?

Les employés du zoo nous regardaient. Ils ne comprenaient pas pourquoi mon père était doux avec moi au lieu d'être en train de me botter les fesses.

— Il faudrait que je voie Ronald et Mikhaïl, les deux chimpanzés. Je voudrais juste leur dire que Monsieur Toc a été arrêté.

— Je vois.

Hugo s'est relevé et il a dit quelques mots aux employés qui nous entouraient. Je ne sais pas comment il a fait pour les convaincre. Mais ils nous ont laissés entrer dans le pavillon des primates à condition de nous accompagner.

J'ai couru vers la cage de mes amis. Hugo et les autres sont restés plus loin. J'ai frappé délicatement sur la vitre pour avertir Ronald et Mikhaïl que j'étais là. Ronald a levé la tête vers moi. Il a fait une grimace de singe, puis il a ramassé un quartier d'orange qu'il a mis dans sa gueule. Mikhaïl a jeté un coup d'oeil sur moi avant de s'intéresser à un pou qui grouillait dans le poil de son copain.

J'ai frappé encore sur la vitre. Ils m'ont regardé tous les deux avec des yeux qui semblaient demander: «Qui c'est, celui-là?»

Je les ai observés pendant cinq bonnes minutes.

Ronald et Mikhaïl n'étaient plus Ronald et Mikhaïl. Ils étaient redevenus deux chimpanzés ordinaires. L'effet du Z-Plus s'était dissipé comme ils me l'avaient prédit la veille.

Hugo est venu me chercher sans un mot. On est retournés à la voiture.

— Hugo, je ne veux plus jamais revenir dans ce zoo. Je ne veux plus jamais revoir un zoo de toute ma vie.

Il n'a rien dit. Il a mis la voiture en marche et il a fait jouer une cassette pour me remonter le moral.

Denis Côté

LE VOYAGE DANS LE TEMPS

Illustrations
de Stéphane Poulin

la courte échelle

Chapitre I
Drôle de surprise!

Mon cher Maxime, c'est à ton tour de te laisser parler d'amour...

Ils m'ont chanté la chanson d'anniversaire au moins dix fois. Et ma soeur Ozzie, trois fois à elle seule, sur trois rythmes différents. Reggae, rock and roll et hard rock.

Comme la plupart des vraies rockeuses, Ozzie fait toujours tout pour être la plus affreuse possible. Du point de vue de l'apparence, je veux dire.

Je ne comprends absolument pas les garçons qui tournent autour d'elle. On a beau dire que les goûts ne se discutent pas, il y a quand même des limites.

Ma famille était là en entier autour de la table. Quand je dis ma famille, j'inclus Jo et Pouce aussi. Jo n'est pas ma soeur, et c'est une chance. Parce que ce n'est pas bien vu d'être amoureux de sa soeur, même un petit peu.

Pouce, c'est mon meilleur ami. Mais comme c'est un garçon et qu'il est très grand et très musclé, pas de danger que je tombe amoureux de lui un jour! Ça, c'est une blague que je lui répète souvent et on en rit chaque fois.

Quant à mes parents, Hugo et Prune, ils n'avaient pas besoin de se forcer non plus pour que je les adore.

On a rigolé. On a joué à des jeux. J'ai reçu des cadeaux. C'était une journée formidable.

Après le repas, j'ai eu une idée romantique à souhait. J'ai proposé à Jo de faire une promenade dehors. Juste nous deux, sous la pleine lune.

Je ne sais pas vraiment ce que *romantique à souhait* veut dire. Mais la pleine lune, c'est ce qui a été inventé de plus beau pour une promenade.

Je voyais bien que ça ne disait rien à Jo de sortir. C'était pourtant ma fête et on peut faire des caprices ce jour-là. On est allés chercher nos manteaux dans ma chambre. À cause de l'automne, il faisait de plus en plus froid le soir.

J'étais en train de boutonner mon manteau quand Jo m'a dit de regarder.

— Regarder quoi?

— Là, là! C'est quoi, ça?

Elle me montrait quelque chose de bizarre, sur le plancher, à côté du lit. Je me suis approché. Il n'y avait pas seulement une chose, mais deux. Et ces deux choses étaient noires, brillantes et pas très jolies.

— Des bottines! s'est écriée Jo. Des bottines du temps de ma grand-mère! Que font-elles ici?

Je me le demandais aussi. Elles ne s'y trouvaient pas quand j'étais entré dans ma chambre pendant la journée. C'étaient de très vieilles et très grosses bottines qui montaient plus haut que les chevilles, avec des lacets d'au moins un mètre de long.

Malgré leur grand âge, elles étaient toutes propres et bien cirées. Je n'avais jamais vu des antiquités pareilles.

J'ai regardé Jo avec un sourire intelligent.

— C'est toi qui me les offres en cadeau, hein? Tu les a sorties de leur cachette pendant que j'avais le dos tourné?

Jo a fait la grimace.

— Jamais de la vie! J'ai plus de goût que ça, quand même!

Ah bon! Si Jo ne les avait pas achetées, c'était tout simplement quelqu'un d'autre. Je me suis assis au bord du lit.

— Que fais-tu, Maxime?

— Je les essaie et j'irai les montrer aux autres. On verra bien qui m'a fait cette surprise.

— Drôle de surprise! Ce doit être une farce d'Ozzie ou de Pouce, ça.

J'ai enlevé mes souliers et j'ai chaussé la première bottine. Elle était très lourde et un peu trop grande pour mon pied. Je ne me suis pas occupé des lacets, puis je me suis levé pour voir de quoi j'avais l'air. Jo s'est mise à rire.

— Ça ne te va pas du tout, Maxime! On dirait que ton pied a enflé. Des vrais souliers de clown!

J'ai chaussé la deuxième bottine. Une

fois debout, ma tête s'est aussitôt mise à tourner. J'ai regardé Jo. Elle était tout embrouillée. Les murs de ma chambre bougeaient.

— Ça va, Maxime? Tu n'as pas l'air bien.

Sa voix était déformée, comme sur un mauvais enregistrement. La chambre disparaissait et réapparaissait dans la même seconde. J'avais peur. Je me demandais si je n'allais pas m'évanouir.

Jo a posé une main sur mon bras. Elle continuait à parler, mais je n'entendais pas. Autour de moi, ça clignotait de plus en plus rapidement.

J'ai baissé la tête. Lentement. Je ne pouvais pas bouger comme je voulais. Les bottines! C'était leur faute si j'étais en train de perdre la carte! Pourquoi je réagissais comme ça? Je l'ignorais. Mais il fallait que j'enlève ces bottines au plus vite!

J'ai essayé de me pencher. La tête me faisait trop mal. J'ai voulu dire à Jo de m'aider, mais les mots ne sortaient pas. Soudain, tout est devenu blanc devant mes yeux. Je pensais que j'étais aveugle.

Ensuite, j'ai eu une sorte de mal de

mer. À deux mains, je me suis agrippé à Jo, et puis c'est devenu tout noir autour de moi.

La noirceur a duré longtemps. Très longtemps.

Je pensais que j'étais mort.

Chapitre II

En quelle année, s'il vous plaît?

Le mal de mer avait cessé. J'ai recommencé à voir ce qui m'entourait. Au début, les images tremblaient comme à travers des larmes. Puis ma vue est redevenue normale.

Jo était tout près de moi. Elle me regardait avec de la terreur dans les yeux. Moi, je m'agrippais toujours à elle.

Je n'entendais plus les rires derrière la porte.

D'ailleurs, la porte n'était plus là, ni les murs. Et les bruits de la fête s'étaient envolés.

Ma chambre avait disparu. À la place, on voyait une rue et des maisons de chaque côté, des gens qui marchaient et le ciel gris au-dessus de nous.

J'ai eu une série de gros frissons, à cause du froid qui traversait mon manteau. J'avais aussi très peur. Jo s'est collée contre moi comme une amoureuse éperdue. Mais je suis sûr qu'elle n'avait pas le goût d'être romantique à souhait.

— Où on est, Maxime?

Dans la vie, il y a beaucoup de questions sans réponse. C'est ce que me dit Hugo, quand ses encyclopédies ne servent plus à rien. Jo venait de poser une de ces questions-là.

Les passants avaient tous un air ancien, avec leurs vêtements farfelus et leurs drôles de chapeaux. Même les enfants étaient démodés, et il y en avait beaucoup dans la rue.

On ne voyait pas d'édifices avec leurs fenêtres par millions. Seulement des maisons, pas très hautes, qui avaient l'air toutes gênées d'être là.

Il n'y avait même pas d'automobiles. Au lieu de ça, des hommes conduisaient des charrettes tirées par des chevaux. Tout ce qu'on voyait était vieux, comme sur les photos des manuels d'Histoire. On aurait dit un décor de film.

— Où on est? répétait Jo. Pourquoi on est ici? Si c'est Ozzie ou tes parents qui nous ont fait une farce, je ne la trouve vraiment pas drôle!

— Impossible, Jo. Personne n'aurait

pu faire une farce pareille.

Tous les deux, on a baissé la tête pour regarder mes bottines.

— C'est leur faute! a dit Jo en criant presque. C'est à cause de tes bottines! Enlève-les vite!

Quand on a des problèmes, ce n'est jamais très logique d'accuser des chaussures. Mais je ne voulais pas être plus logique que le pape, vu les circonstances.

Une bottine sous chaque bras, j'ai entraîné Jo plus loin.

J'examinais les maisons en essayant de me rappeler si elles me disaient quelque chose. L'hypothèse d'un décor de film ne tenait pas tellement debout. On ne voyait pas de caméra à l'horizon, ni personne qui ressemblait à un réalisateur.

Et si on se trouvait en plein tournage, les acteurs jouaient drôlement bien leur rôle. Tout le monde avait l'air fâché ou triste. Jo et moi, on n'avait vu que des sourires pendant la journée, et ça faisait un contraste.

Les gens ont commencé à nous regarder avec de gros yeux. Un garçon en chaussettes par un froid d'automne, ça se remarque!

On a marché plus vite. Soudain, une cloche a sonné dans notre dos, tout près. Juste derrière nous, un cheval tirait une sorte de train et on était sur sa route. J'ai pris Jo par la manche. Je venais seulement de remarquer qu'un chemin de fer passait au milieu de la rue.

— Un tramway! a dit Jo. C'est comme ça que ça s'appelle. J'en ai déjà vu un sur une vieille photo.

— C'est un cheval qui le fait avancer. Bizarre. Il y a une crise de l'énergie ou quoi?

— Avant, les chevaux remplaçaient les moteurs. Les savants n'avaient pas encore découvert l'automobile et tout ça. Mais ça se passait dans l'ancien temps! Et nous, on vit en 1989! Maxime, j'ai peur, c'est terrible!

Une femme s'est arrêtée à côté de nous pour nous examiner. Elle était bien habillée, avec des vêtements très rétro et très chic. Comme elle pouvait peut-être nous aider, on ne s'est pas enfuis.

— Où vos parents ont-ils acheté ces manteaux?

Elle regardait aussi mes chaussettes et elle n'en revenait pas comme les jeunes font de drôles de choses. C'est moi qui ai répondu.

— Madame, on a un gros problème. Peut-être que...

— Je n'ai jamais vu des manteaux semblables. C'est une nouvelle mode?

— On est complètement égarés, mon amie et moi. Aidez-nous, je vous en prie. Pourriez-vous nous dire où nous sommes actuellement?

— Dans quelle ville, madame? C'est très important, on est perdus!

Elle a pensé un instant qu'on se moquait d'elle. Puis notre air de chiens battus l'a fait changer d'idée.

— Vous me semblez tout à fait perdus, en effet. Ignorez-vous que vous êtes à Québec?

Avec des yeux plus épagneuls que jamais, Jo m'a regardé.

— À Québec? Mais Québec ne ressemble pas à ça! C'est notre ville, on la connaît bien!

Alors, la dame a levé le nez sur nous, puis elle a traversé la rue. Jo a couru derrière elle.

— Dites-nous en quelle année on se trouve! S'il vous plaît!

La question de Jo n'était pas bête. Avec toutes les antiquités qui nous entouraient, c'était même la plus importante. Mais la dame, insultée, s'éloignait toujours.

Jo s'est arrêtée devant la vitrine d'une espèce de pharmacie. Elle ne bougeait plus. J'ai été la rejoindre en courant.

À travers la vitrine, on pouvait voir un calendrier avec des chiffres immenses pour chaque jour. Jo s'était changée en statue en voyant l'année inscrite en haut.

Ça m'a assommé, moi aussi, d'apprendre qu'on était en 1889.

Chapitre III
La Charbonneuse

— Ne nous affolons pas. Il doit y avoir une explication.

C'est ce qu'on dit toujours dans ces cas-là. Mais une explication, je n'en avais même pas la moitié d'une.

Ces gens d'une autre époque continuaient à marcher, sans se rendre compte qu'ils vivaient un moment historique. Nous, on s'en rendait tellement compte qu'on se cachait avec nos mains pour pleurer.

Puis Jo a fait une crise à propos des bottines. Elle voulait me les arracher et les lancer au bout de ses bras. Elle les haïssait vraiment. J'ai essayé de la consoler. J'étais un peu amoureux d'elle, mais j'ai compris encore une fois que l'amour n'arrange pas tout.

— Jo, on a besoin de ces bottines. C'est notre seule piste, tu comprends?

— Non, je ne comprends pas!

— Elles sont très vieilles. Elles ont peut-être même cent ans. Et l'année 1889, c'est cent ans avant mon anniversaire. Les bottines pourraient venir d'ici, tu comprends?

— Ça ne nous ramène pas chez nous, ça!

— Je ne sais pas pourquoi on est ici. Je ne sais pas non plus ce que les bottines viennent faire là-dedans. Mais on va revenir chez nous, je te le jure.

Je me prenais sans doute pour un héros. Mais c'était de la frime. En réalité, j'avais peur comme ce n'est pas possible et cette drôle de peur-là me faisait mal à la gorge.

— Viens. On va essayer de s'informer si quelqu'un les a déjà vues, mes bottines. On ne sait jamais.

— Et si on demandait de l'aide à des policiers? On pourrait leur expliquer!

J'aurais bien voulu. Mais qui aurait cru à notre histoire? «Écoutez, monsieur l'agent, on vient de l'année 1989. On a voyagé jusqu'ici à bord d'une paire de bottines. Pourriez-vous nous ramener chez nous?»

Ou bien la police nous aurait ri au nez,

ou bien elle nous aurait mis dans un asile. Il y avait sûrement d'autres choses à tenter avant la camisole de force.

Pendant qu'on marchait, une charrette nous a dépassés. On ne voyait pas ce qu'elle transportait, parce que c'était caché sous un drap blanc. Mais on a entendu une plainte.

On a regardé comme il faut. Le drap a bougé. Une petite main pâle en est sortie et le drap a encore glissé. Assez pour qu'on voie deux enfants couchés dans la charrette.

— C'est horrible! a dit Jo. Mais qu'ont-ils fait à ces enfants? Couchés dans une charrette comme des sacs de farine!

Un groupe d'hommes est passé en nous bousculant comme si on ne comptait pas. Ils parlaient fort. On aurait dit qu'ils en voulaient à quelqu'un. Mais ils sont passés trop vite pour que j'en sache plus.

Soudain, Jo a souri en me montrant une boutique. C'était son premier sourire depuis notre arrivée en ce bas-monde. Au-dessus de la porte, il y avait le mot Cordonnier. Je l'ai trouvée géniale, Jo. Si quelqu'un pouvait reconnaître une paire de bottines, c'était bien un cordonnier!

L'homme travaillait derrière son comptoir. Ça sentait la graisse et le cuir là-dedans. Une bonne odeur antique. Il a fait comme tout le monde et nous a regardés avec de gros yeux.

Je lui ai montré la paire de bottines. Il les a examinées, puis il a dit en grognant:

— Qu'est-ce qu'elles ont, ces bottines? Elles sont neuves.

— Ce n'est pas pour une réparation, monsieur. On veut juste savoir si vous les avez déjà vues.

— Je ne les ai jamais vues, mais je sais d'où elles viennent. Je connais mon métier.

Ma gorge s'est desserrée un peu. Jo a fait un petit bond de joie.

— Elles ont été fabriquées à l'usine Bogarty. C'est bien leur style.

L'usine en question était située tout près. On est partis en le remerciant.

L'espoir nous donnait des ailes. Mais c'étaient des ailes qui volaient bas, parce qu'on avait le coeur très lourd. En marchant vers l'usine, on a croisé d'autres charrettes avec des draps blancs.

Des femmes pleuraient sur leur passage. Des hommes parlaient entre eux en gueulant. Parmi les passants, on aurait dit que les enfants étaient les seuls à garder le moral.

Plus on s'approchait de l'usine et moins les maisons étaient belles. Les gens aussi semblaient moins bien habillés. Je ne reconnaissais pas encore vraiment la ville de Québec, mais tout ça commençait à ressembler à quelque chose de familier.

On a presque hurlé quand on a vu la grosse bâtisse avec Bogarty Boots & Shoes écrit dessus.

Collé à l'usine, il y avait un commerce de chaussures. On s'est précipités dans la boutique. Mes chaussettes étaient trempées. Mais quand on est perdus dans une autre époque, on passe par-dessus ce genre de détails. Sans le vouloir, on a fait claquer la porte.

— Petits sauvages! a crié le vendeur. Vos parents ne vous ont pas élevés?

On en avait assez de la mauvaise humeur partout. Mais on n'a rien répondu parce que la violence ne mène nulle part et que ce n'était surtout pas le moment.

Pendant que le vendeur nous engueulait devant ses clients, il a remarqué les bottines dans mes mains.

D'un coup, il a reculé. On aurait dit qu'il voyait deux pistolets au lieu d'une paire de chaussures. Il ne parlait plus, mais sa bouche est restée ouverte comme chez le dentiste.

— Qu'y a-t-il, monsieur? Qu'est-ce qu'elles ont, mes bottines?

Je les ai soulevées un peu et le vendeur a fait un autre pas en arrière. Les clients nous regardaient sans comprendre.

Le vendeur m'a désigné d'un doigt menaçant.

— Où as-tu trouvé ces bottines?

— Elles m'appartiennent. C'est bien ici qu'elles ont été fabriquées?

Il a fait un signe de croix, très vite.

— Que Dieu me pardonne! Où les as-tu trouvées?

— Nulle part, je vous dis.

— Petit menteur! Tu sais très bien qui nous les a commandées, il y a six mois. Vous êtes des diables. Pourquoi venez-vous me tourmenter ici?

Il a foncé vers moi comme un camion qui démarre. Heureusement que le comptoir lui barrait la route, car il y aurait eu un terrible accident. Il a crié.

— Où se cache-t-elle?

— Mais de qui parlez-vous?

— Tu le sais! Ces bottines lui appartiennent! C'est elle qui les voulait, Dieu sait dans quel but ignoble!

— Allons-nous-en, Maxime.

— Ce sont des complices de la Charbonneuse! a hurlé le vendeur.

Les clients se sont écartés comme si on était des criminels. Jo avait raison: on n'avait plus rien à faire là. On a mis le cap vers la porte.

— Ne les laissez pas s'enfuir! Attrapez-les!

Cette histoire devenait complètement folle ou bien c'était tout ce monde-là qui était dérangé. On est sortis à toute vitesse, mais le vendeur n'avait pas fini son numéro.

— Rattrapez-les! Ils doivent payer pour leurs innocentes victimes! Ce sont des démons de l'enfer!

Chapitre IV
Mme Fortune

Je courais comme aux Olympiques et Jo ne se faisait pas prier non plus. Les passants se retournaient pour mieux voir notre exploit.

On s'est faufilés dans la foule et nos poursuivants nous ont perdus de vue. Il y avait aussi le soir qui commençait à tomber.

Quand on a cru que c'était gagné, on a cessé de courir. On avait descendu une longue pente sans regarder où on allait. Maintenant, on pouvait s'intéresser à ce qui se passait autour de nous.

À notre gauche, il y avait un port. Et derrière, un fleuve. Le Saint-Laurent, bien sûr. Il n'avait pas trop changé, celui-là, en cent ans.

On se trouvait dans une ruelle avec beaucoup d'enfants mal habillés. Plusieurs portaient un chapeau sur la tête. Les maisons étaient laides et sales, et des

planches de bois recouvraient la rue. Un peu partout, il y avait des déchets qui ne sentaient pas bon.

— Tu sais où on se trouve? a dit Jo. Sur la rue Petit-Champlain. J'y suis déjà venue avec ma mère, mais c'était beaucoup plus touristique.

Puis ses yeux se sont remplis de larmes.

— Ma mère... Je me demande où elle est en ce moment.

Je n'ai pas eu le temps de dire n'importe quoi. Quelqu'un venait de crier dans notre dos. On s'est remis à courir en direction du port, avec plusieurs enragés à nos trousses.

J'ai bien failli m'arrêter et leur demander ce qu'on avait fait de si mal. Le courage, c'est très beau et très héroïque, mais ce n'est pas toujours là quand on en a besoin.

Notre course nous a ramenés sur la rue Petit-Champlain. Comme je regardais souvent en arrière, je suis entré en collision avec une femme. Mais c'est moi qui suis tombé, parce qu'elle était plutôt bien portante.

— Tu t'es fait mal?

Je me suis relevé, prêt à repartir.

— Ne courez plus. Cachez-vous ici.

Elle nous montrait l'entrée d'une cour. Il y avait beaucoup de bonté dans les yeux de cette femme. On n'a pas réfléchi longtemps. Elle est venue nous rejoindre dans la cour et elle nous a poussés dans un escalier.

— Montez. Ils ne viendront pas vous chercher chez nous.

Une fois la porte fermée, on s'est retrouvés au milieu d'une bande d'enfants dans une pièce minuscule et pas très propre. Les enfants nous examinaient avec les yeux de la pauvreté.

Ça nous faisait aussi une drôle d'impression de voir ces meubles folkloriques: le poêle en fonte, les chaises de bois et tout le reste. Ces gens-là devaient s'ennuyer à mort sans la télévision.

La femme nous a dit qu'elle s'appelait Mme Fortune.

— Mais tu n'as pas de chaussures aux pieds! Pourquoi as-tu enlevé tes bottines?

— Elles ne sont pas à moi. C'est un cadeau pour ma mère.

— Comment peux-tu porter un si

beau manteau et pas de chaussures? Tu vas attraper la tuberculose par un froid pareil.

Elle a fouillé dans une grosse malle, puis elle m'a montré une paire de souliers avec des trous. Je les ai chaussés et Mme Fortune m'a donné deux bouts de corde pour les lacer. Elle paraissait très contente de son coup.

— Pourquoi faites-vous ça? a demandé Jo. Vous nous cachez ici et vous donnez des souliers à Maxime. Tandis qu'il y a des gens, là dehors, qui nous veulent du mal.

Mme Fortune avait de grosses joues très rondes et ça suffisait pour qu'on se sente bien avec elle.

— Je ne sais pas pourquoi ils vous poursuivent et ça ne me regarde pas. A-t-on idée de vouloir du mal à des enfants? Moi, j'en ai trois qui travaillent à l'usine et le contremaître ne passe pas une semaine sans les battre!

Les enfants de Mme Fortune s'échangeaient des réflexions sur nos beaux vêtements. Ils devaient nous prendre pour des riches. J'ai décidé de m'ouvrir un peu à Mme Fortune.

— Jo et moi, on est perdus. Ceux qui nous poursuivent disent qu'on est des complices de la Charbonneuse. Mais on ne connaît personne qui s'appelle comme ça. On vient juste d'arriver en ville.

— Quoi! La Charbonneuse?

Elle avait le même air dramatique que

le vendeur de chaussures. Elle s'est reculée un peu et elle a écarté les enfants.

— Vous n'allez pas vous mettre à avoir peur? a dit Jo. Mais qu'est-ce que vous avez tous, à la fin? Qui c'est, cette Charbonneuse?

Il y a eu une longue pause pleine de silence et d'hésitation. Je ne sais pas si c'était à cause de sa bonté ou quoi, mais Mme Fortune s'est radoucie. Elle a dit aux enfants d'aller jouer dans la cour. Ensuite, elle nous a regardés bien en face.

— Vous êtes sûrs que vous ne connaissez pas la Charbonneuse?

— On ne connaît personne, personne, je vous jure! a dit Jo.

Mme Fortune a baissé la tête et elle a fait un signe de croix.

— Je vous fais confiance.

— Pourriez-vous nous dire, maintenant, qui est cette Charbonneuse et pourquoi les gens lui en veulent tant?

— Mes enfants, la Charbonneuse a été bannie de cette ville parce que... Parce que c'est une sorcière! Oui, une sorcière!

Chapitre V
Sorcière et loup-garou

— Une sorcière? a dit Jo. Mais voyons, madame, vous ne croyez pas à ces sornettes? Les sorcières, ça n'existe pas!

— Hélas, il y a des preuves! La Charbonneuse est une horrible sorcière! Elle s'est acoquinée avec le diable!

Mme Fortune s'est assise sur une chaise pour mieux nous raconter. Elle a dit que la Charbonneuse était institutrice. Et mécréante aussi. Ça voulait dire qu'elle ne pratiquait pas sa religion.

J'ai failli dire que là d'où l'on venait, presque tout le monde était mécréant et que c'était normal.

Le vrai nom de la sorcière, c'était Charbonneau. Mais parce que son âme était noire comme chez le diable, les gens l'avaient surnommée la Charbonneuse. À cause du charbon qui est de couleur noire.

Il paraît que la Charbonneuse disait des choses diaboliques à ses élèves durant la classe. Elle a finalement été chassée de l'école et ensuite de la ville.

Il y a même des hommes qui voulaient la brûler, parce que c'est comme ça que les sorcières doivent mourir. Mais les prêtres ont dit qu'il ne fallait quand même pas exagérer.

— Après son départ, une épidémie de variole a éclaté. Au début, c'étaient surtout les enfants qui mouraient. Maintenant, les adultes sont atteints par dizaines.

Je venais de comprendre à propos des enfants couchés dans les charrettes! Ils étaient très malades et peut-être morts.

Mme Fortune a sorti un mouchoir de sa robe et elle a commencé à s'éponger les yeux. Ce n'était pas drôle de voir pleurer une femme si bien portante et avec de si bonnes joues.

— La variole a emporté mes deux plus jeunes enfants. On n'a jamais vu une épidémie comme ça. La Charbonneuse a ensorcelé notre eau et le lait des vaches.

Pendant que Mme Fortune pleurait, Jo caressait un de ses gros bras pour la réconforter.

— Cette nuit, ce sera la pleine lune. La Charbonneuse va en profiter pour se changer en loup-garou! C'est ce qui arrive aux sorcières et aux mécréants. Mais des hommes se regroupent pour aller la capturer. Ils vont lui trancher le cou pour chasser le démon qui l'habite. Et notre ville sera délivrée de sa malédiction.

Je me rappelais les hommes de mauvaise humeur qu'on avait vus un peu partout. Maintenant qu'ils nous prenaient pour les complices de la sorcière, on risquait de perdre la tête, nous aussi!

On ne pouvait pas dire la vérité à qui que ce soit et raconter tout bonnement qu'on venait du futur. Cela aurait confirmé qu'on était des démons. Toutes les apparences étaient contre nous.

— Madame, je suis peiné au sujet de la variole et de vos enfants. Mais les loups-garous, ça n'existe pas! C'est juste des contes de ma grand-mère.

Elle ne me croyait pas.

— Le Grand Georges l'a vue le mois dernier! Il se promenait dans la campagne pendant la nuit et il a entendu son hurlement. Heureusement qu'il est rusé, Georges, sinon la Charbonneuse l'aurait dévoré.

Mme Fortune a fait un grand geste.

— Transformée en loup-garou, elle était plus grosse que le plus gros des chiens. Tout son poil était noir comme de la suie. Elle avait les dents longues et pointues. Et ses yeux sournois brillaient comme du feu.

Je n'ai jamais tellement aimé les films d'horreur avec les vampires, les loups-garous et les flaques de sang. Mais je peux en supporter pas mal tant que ça reste sur un écran de cinéma.

Lorsque l'horreur fait partie de la vie, c'est autre chose. Quant aux émotions, j'étais très bien secondé par Jo qui me regardait avec des yeux remplis de S.O.S.

Il fallait que Mme Fortune prépare le repas. On est restés dans notre coin. J'ai essayé d'être raisonnable et j'ai fait celui qui en sait plus que les autres.

— Drôle d'époque! Ils croient encore aux sorcières et aux loups-garous. On sait bien, nous, que ces choses-là n'existent pas.

Jo était toute pâle dans son beau manteau rouge. Ses lèvres tremblaient.

— Maxime... Les loups-garous et les sorcières n'existent pas en 1989. Mais peut-être qu'ils ont déjà existé dans le passé. Peut-être qu'il y en a encore en 1889!

La peur n'était plus seulement dans ma gorge maintenant. Elle s'était cachée dans ma poitrine et s'amusait comme une folle là-dedans.

Jo s'est collée contre moi. Une seconde après, on ne savait plus qui serrait l'autre dans ses bras.

— Je veux revenir chez moi, Maxime.

Ses larmes mouillaient ma joue et moi, j'essayais d'être intelligent. Tout ce que je réussissais à faire, c'était pleurer plus fort qu'elle. À la fin, j'ai eu une espèce de sursaut d'énergie.

— Il faut aller voir la Charbonneuse, Jo! Et tout lui raconter!

— Quoi! Rencontrer cette sorcière qui se change en loup? Mais tu es fou, Maxime? Elle va nous tuer!

— C'est notre seule chance de retourner à notre époque. C'est elle qui a commandé les bottines à l'usine de chaussures. Si on veut suivre cette piste jusqu'au bout, il faut aller la voir!

— Jamais de la vie! Je ne veux pas mourir!

Moi non plus, je ne voulais pas. Mourir à treize ans, c'est inhumain. J'avais dix doigts comme tout le monde, mais je ne savais encore rien faire avec. Si je mourais maintenant, mes années d'école n'auraient servi à rien.

Et puis j'avais plein de livres à lire et plein de films à regarder à la télé. Sans oublier Hugo, Prune et tous mes amis qui ne me pardonneraient pas de les abandonner. Mais si on ne faisait rien, on resterait coincés à une époque qui ne voulait pas de nous.

À force d'arguments pour me convaincre moi-même, j'ai fini par convaincre Jo. Oh, notre conviction n'était pas très belle à regarder! C'était une petite conviction de rien du tout, minuscule. Il aurait fallu un microscope pour la voir comme il faut.

Mais ça valait mieux que rien. Tous les grands projets ont d'ailleurs commencé comme ça, c'est Hugo qui me l'a dit.

— Pas de temps à perdre! Les hommes s'organisent pour tuer la Charbonneuse. Il faut la rencontrer avant qu'il ne soit trop tard.

On a pleuré encore un coup, puis on s'est préparés à partir.

Chapitre VI
Nous, des lutins?

Personne ne savait exactement où se cachait la sorcière. Mais les rumeurs disaient qu'elle vivait à la campagne, du côté de Beauport. C'était dans ce coin-là que le Grand Georges avait rencontré le loup-garou, un mois avant.

On a mangé un peu. Puis on a remercié Mme Fortune pour toutes ses gentillesses. Elle était inquiète pour nous. J'ai dit qu'on essaierait de retrouver nos parents qu'on avait perdus. Ce n'était même pas un mensonge.

J'ai attaché ensemble les lacets de mes bottines et je les ai passés derrière mon cou. Les bottines ne se verraient pas sous mon manteau.

Il faisait très noir dehors. En 1889, il n'y avait pas de lampadaires partout ni d'enseignes lumineuses pour nous faire oublier les étoiles. Le ciel s'était dégagé. La pleine lune était sortie de sa cachette.

Elle ne voulait pas manquer son rendez-vous macabre avec la sorcière.

Notre plan était simple et idiot, mais on n'en avait pas d'autre. Les chasseurs de loups-garous devaient partir pour Beauport vers vingt heures. Il nous suffirait de les suivre sans se faire remarquer.

Ils devaient se réunir à la porte Saint-Jean. Comme Jo et moi, on commençait à pouvoir s'orienter dans la ville, ce ne serait pas compliqué d'y être à temps.

Le seul problème, c'était de se rendre jusque-là. Impossible de passer inaperçus dans la foule puisque la foule était rentrée à la maison. Il a donc fallu jouer aux plus fins avec les entrées de cour, les portes cochères et l'ombre des murs.

En haut de la côte qui mène à la Place Royale, on a pris la rue Buade, puis la rue Saint-Jean.

Ce serait faux de dire qu'on se sentait comme chez nous, mais on était moins perdus que durant l'après-midi. C'était notre ville, après tout, même si elle avait pris un coup de vieux.

Près de la porte Saint-Jean, il y avait déjà trois charrettes et une vingtaine d'hommes qui beuglaient tout autour. Plusieurs brandissaient une faux, comme s'ils partaient couper du foin. D'autres avaient des bouteilles de vin.

Les faux, c'était pour trancher le cou de la Charbonneuse. Et le vin, c'était pour ne rien sentir durant l'opération. On appelle ça l'anesthésie.

On n'a pas bougé jusqu'au départ de la première charrette. La moitié des hommes y étaient montés. Même si je connais mal ma géographie, j'ai pensé que ça leur prendrait bien deux heures pour se rendre à Beauport.

Jo et moi, on aurait donc deux heures pour trouver la Charbonneuse. Parce que, selon mon expérience de l'horreur, elle se transformerait en louve aux environs de minuit.

Le reste des hommes a pris place dans la deuxième charrette et ils sont partis à leur tour. La troisième était remplie de foin. On a piqué un sprint et on s'est enfoncés dans la paille. Quelques secondes plus tard, on partait, nous aussi. Tout allait très bien pour le moment.

— À quoi elle sert, cette charrette? m'a dit Jo tout bas. Ils en ont juste besoin de deux pour se transporter. Penses-tu que c'est pour ramener le cadavre de la Charbonneuse?

Jo a parfois ce genre de pensées négatives. J'ai songé au sang de la sorcière qui se répandrait dans le foin, une fois sa tête coupée. Alors, j'ai essayé de voir le bon côté des choses.

Notre promenade aurait pu être super dans d'autres circonstances. Après tout, on était bien dans la paille, au chaud. Ça sentait un peu l'étable. Et les chevaux, là devant, faisaient un beau bruit de sabots.

— Que va-t-on lui dire, à la sorcière? Et si elle ne nous croit pas? Et si elle ne nous laisse pas parler? Et si elle est déjà changée en loup-garou à l'heure actuelle? Un loup-garou, ça ne discute pas, Maxime! Ça dévore, simplement!

— D'abord, Jo, un loup-garou, ça n'existe pas.

— Mais les voyages dans le temps non plus! Et regarde de quoi on a l'air, avec nos belles théories scientifiques!

Jo a une logique terrible. Si je l'avais écoutée, j'aurais sauté de la charrette et j'aurais pris mes jambes à mon cou. Mais il fallait garder la tête froide. Ce n'est jamais facile quand il est question de sorcières, de malédictions et de loups-garous.

On a continué à parler comme ça pendant un bon moment. Sans s'en rendre compte, je crois qu'on avait haussé le ton. Car la charrette s'est arrêtée. Le conducteur est descendu et on l'a entendu marcher dans notre direction.

— Ernest! a crié quelqu'un. Pourquoi tu t'arrêtes?

— Il me semble que j'ai entendu des voix. Je vais voir.

— Des voix? Sacré nom de Dieu, c'est peut-être des lutins! Fais attention!

On n'était pas des lutins, mais on se sentait drôlement visés. J'ai poussé Jo en bas de la charrette et j'ai sauté en même temps. On s'est mis à courir vers le bord de la route, jusqu'au fossé.

Autour de nous, il n'y avait plus de ville. Seulement la campagne avec toute sa noirceur et la pleine lune qui surveillait tout ça.

On a grimpé un talus et on s'est enfoncés dans les herbes. Les hommes couraient derrière nous en hurlant. On ne savait pas où se diriger. Seule la lune nous éclairait et on ne voyait aucune habitation dans les alentours.

On était foutus. Je suis tombé dans une flaque de boue et Jo m'a aidé à m'en sortir. Les chasseurs de loup-garou étaient tout près.

— Rien à faire, Jo! On s'arrête et on leur explique qui on est!

— Ils ne nous croiront pas, tu le sais! Il faut courir. On va se cacher dans la forêt là-bas!

Cette forêt était éloignée. J'ai couru encore un peu, pour prouver que je

n'étais pas un lâcheur. Ensuite, je me suis écroulé au pied d'un arbre. J'ai serré Jo contre moi. Tout ce que j'entendais, c'était le bruit de nos respirations. On aurait dit qu'on était en train de se noyer.

Mes bottines sont tombées de mon manteau. Les hommes étaient tout près maintenant. Certains d'entre eux avaient allumé des fanaux. Ils nous entouraient et nous observaient méchamment.

— Regardez-les! Faits comme des rats!

— Attention! Il paraît que c'est très dangereux, un lutin.

— On dirait que l'un des deux est une femelle!

Leurs visages ne ressemblaient pas à des visages. C'étaient plutôt des grimaces. Un homme s'est approché avec sa faux.

— Vas-y, Albert! Coupe-leur le cou à ces créatures du diable!

Chapitre VII
Le rire de la sorcière

La faux allait s'abattre dans les prochaines secondes et commettre une grave erreur judiciaire. Mais moi, je suis pour la justice. Je ne pouvais pas laisser faire ça, surtout que ça me concernait un peu.

Je regardais mes bottines tombées dans l'herbe et je devinais que la solution était là. Mais quelle solution?

Puis j'ai eu l'idée de ma vie. J'ai saisi les bottines et j'ai arraché mes souliers à toute vitesse. Pendant que je chaussais une bottine, l'homme s'est immobilisé. Il se demandait sûrement quel tour de lutin je m'apprêtais à lui jouer.

— Que fais-tu? m'a demandé Jo.

Le tueur à la faux a fait un autre pas. Ses compagnons l'encourageaient avec des rires imbéciles.

— Si mes bottines nous ont conduits en 1889, elles peuvent nous conduire jusqu'à la sorcière. Agrippe-toi à mon manteau!

En chaussant la deuxième bottine, j'ai senti ma tête qui tournait. J'ai entouré Jo de mes deux bras pour le décollage. Je voyais les hommes clignoter. Puis toutes les lumières se sont éteintes et on aurait cru que la planète entière s'était mise à tourner plus vite.

Quand les choses se sont replacées, les tueurs de sorcière avaient disparu. On était toujours étendus sur le sol, enlacés comme des amoureux.

Au lieu d'un seul arbre, il y en avait mille. On se trouvait dans une forêt. C'était encore la nuit, et la lune était joufflue comme un pamplemousse.

J'ai enlevé mes bottines avec tout le respect qui leur était dû. À présent, j'étais un peu réconcilié avec elles. Puis j'ai remis les souliers que j'avais conservés durant le voyage.

— Si jamais on revient chez nous, Maxime, penses-tu que nos parents vont nous croire?

— Il ne faut jamais trop en demander, Jo.

On était très fiers d'être toujours vivants. Jo me souriait. Elle souriait jaune, mais c'était bien un sourire. Il ne manquait plus que nos bicyclettes, le soleil et 1989 pour qu'on soit parfaitement heureux. J'ai essayé de m'orienter.

— On ne doit pas se trouver très loin de la sorcière. Faisons le moins de bruit possible.

Même si tout était silencieux, je me méfiais des hommes qui avaient voulu nous zigouiller. On a marché une dizaine de minutes en se tenant par la main pour ne pas se perdre. Puis Jo m'a indiqué quelque chose du doigt avant de s'accroupir dans l'herbe.

— Une maison, là, tu vois?

À une centaine de mètres devant nous, la maison était plantée au milieu d'une clairière. Elle était vraiment petite et vieille. Elle menaçait de s'écrouler. À ce moment-là, la lune était placée exactement au-dessus, comme un ballon retenu par une corde.

On s'est approchés en rampant. Si on avait pu, on aurait creusé un tunnel dans la terre pour être complètement invisibles.

Maintenant que la maison était là, toutes ces histoires de sorcellerie paraissaient plus véridiques. On s'attendait à n'importe quoi, mais seul le pire pouvait arriver.

J'étais tellement nerveux que j'ai failli hurler quand Jo m'a touché la main.

— Quelqu'un vient de sortir. Regarde.

C'était une femme tout habillée de noir, avec des cheveux ébouriffés comme un feu d'artifice. On était trop loin pour voir si elle était jeune ou vieille.

Elle a fait quelques pas sous la lune, puis elle s'est arrêtée.

— Que fait-elle? On dirait qu'elle écoute ou qu'elle se concentre.

— C'est une sorcière, a dit Jo. Elle a peut-être l'ouïe très fine et la vue perçante. Dans ce cas, elle peut nous entendre à distance. Peut-être même qu'elle voit dans le noir, on ne sait pas.

— Ça suffit, Jo. Elle est assez horrible comme ça sans qu'on en rajoute.

Ensemble, on a sursauté quand la Charbonneuse a levé les bras vers le ciel. Puis elle a commencé à parler, mais on ne distinguait pas ce qu'elle disait. Je n'étais même pas sûr que ce soit dans notre langue.

— Je sais ce qu'elle fait, a dit Jo d'une voix tremblante. Elle invoque la lune! Elle parle à la lune pour lui demander une faveur!

— Quelle faveur?

— Être transformée en louve, voyons!

L'unique personne qui pouvait nous aider était là, dans la clairière, en train d'invoquer la lune pour se changer en monstre. Cette femme avait jeté une malédiction sur la ville et les gens mouraient de variole à cause de ça.

C'était une femme méchante, une sorcière, et il fallait pourtant l'appeler à notre secours. Vraiment, la vie n'est pas toujours au meilleur de sa forme.

La cérémonie a duré une dizaine de minutes, puis la sorcière est rentrée chez elle. Avant qu'elle ne ferme la porte, on l'a entendue éclater d'un rire épouvantable. On aurait dit le rire d'une folle ou de quelqu'un qui vient de gagner le gros lot.

Avoir le sang glacé dans les veines, j'ai compris pour la première fois ce que ça veut dire.

— Je crois qu'il faut y aller, Jo.

— Tu es fou? Non, Maxime, je ne m'approche pas de cette femme-là! J'aime mieux passer le reste de ma vie en 1889!

— Mais on est ici pour lui parler! On ne va pas changer d'idée à la dernière minute!

— Maxime, on n'est même pas certains que la sorcière peut nous ramener chez nous! Elle n'a peut-être absolument rien à voir avec notre arrivée ici!

Jo avait enfoui son visage dans les herbes et son corps était secoué par les sanglots. Je me suis demandé pourquoi je ne pleurais pas. Je me sentais un peu idiot et j'ai compris que c'était Jo la plus réaliste.

J'ai caressé ses cheveux comme je n'avais jamais osé le faire. Je me disais que si l'on retournait chez nous un jour, je m'arrangerais pour lui offrir des cadeaux chaque semaine. En fin de compte, je l'aimais encore beaucoup plus que je le pensais.

Je l'ai embrassée sur les joues, je me suis levé et j'ai dit:

— Reste ici. Je vais y aller seul.

— Ne fais pas ça, c'est trop dangereux!

— Je le sais.

Je suis parti tout de suite à cause de la tristesse. Mais à peine rendu à la clairière, j'ai entendu du bruit derrière moi. Jo venait me rejoindre.

— Ça va mieux, Maxime.

Avec Jo à côté de moi, j'avais moins peur de m'approcher de la maison. Sa meilleure amie, c'est quelque chose qui vaut vraiment son pesant d'or.

On marchait lentement en scrutant les arbres qui nous entouraient. Des brindilles craquaient sous nos pieds. La lune éclairait directement la clairière et nous rendait aussi visibles qu'un chanteur rock sur la scène.

La maison était encore plus laide, vue de près. On ne voyait rien par les fenêtres, à cause des rideaux. Devant la porte, j'ai retenu mon souffle. Mes genoux tremblaient.

J'ai frappé trois coups. Il y a eu des bruits de pas dans la maison. La porte s'est ouverte. La sorcière est apparue, avec ses cheveux dans tous les sens et sa longue robe noire.

Elle s'est penchée vers nous sans un mot et on a vu son visage.

Jo a lâché le plus long cri que j'aie jamais entendu.

Ce visage était affreux, abominable! Mes jambes ont eu tellement peur qu'elles m'ont abandonné comme des lâches. Je me suis écroulé. Le cri de Jo me perçait les oreilles.

Ma tête a heurté le sol et j'ai perdu connaissance.

Chapitre VIII
Comment ce sera, l'avenir?

Mon inconscience n'a pas duré très longtemps. Quand je me suis éveillé, quelqu'un me portait dans ses bras et me déposait sur une couchette. Je me trouvais à l'intérieur de la maison.

Jo se tenait près de moi et il y avait une femme derrière elle. Elle était plutôt jolie et portait des vêtements noirs comme ceux de la Charbonneuse.

J'ai demandé où était la sorcière.

— La sorcière? a répondu la jeune femme. La voici, la sorcière!

Elle tenait un masque au bout de son bras. Je l'ai reconnu. C'était le visage de la peur.

— La sorcière, c'est vous! Pourquoi avoir mis ce masque pour répondre à la porte?

— Vous vous attendiez à une vieille sorcière avec un long nez crochu? Eh bien, je ne voulais pas vous décevoir!

Puisque ça va mieux, vous allez me faire le plaisir de décamper. Je suis très occupée en ce moment.

— Occupée à quoi? À vous transformer en louve?

Elle est restée surprise un instant, puis elle a eu son fameux rire démoniaque. Ensuite, elle a crispé ses mains comme des serres et elle a retroussé ses lèvres. Elle ressemblait à un avertissement: Attention! chien méchant!

— À minuit pile, je serai devenue un loup-garou!

Elle avait dit ça avec une voix si effrayante qu'on aurait cru celle du démon.

— Je me promènerai dans la campagne à la recherche d'une proie. Et si je ne trouve personne d'assez appétissant par ici, j'irai dévorer quelqu'un de la ville. Un enfant, de préférence! Ils ont la chair si tendre!

Pour Jo et moi, c'était la terreur à l'état pur. Tout ce que Mme Fortune nous avait dit était donc vrai. On finirait notre séjour en 1889 dans l'estomac d'une sorcière. Que cette sorcière soit jolie, on s'en foutait royalement. C'était juste une question d'emballage.

On était roulés en boule sur la couchette, le dos contre le mur, et on essayait de se protéger avec nos bras et nos jambes. La sorcière restait pourtant immobile. Mais les paroles font parfois très mal, on était en train de l'expérimenter.

Parce que je remuais beaucoup, les bottines sont sorties de mon manteau. La Charbonneuse a cessé de rire en les voyant. Ses yeux se sont agrandis, mais le reste de son visage ne ressemblait plus à celui d'une bête. Le masque de vieille sorcière est tombé sur le sol. Elle s'est approchée du lit.

Elle regardait mes bottines comme si c'était une catastrophe ou un grand bonheur, je ne savais pas encore. Ensuite, c'est nous qu'elle a regardés. Longtemps.

Elle a eu un sourire. Un sourire qui grandissait, et grandissait, et grandissait. Tellement que son visage a failli disparaître en entier. Ses yeux brillaient comme si elle allait se mettre à pleurer.

Puis elle a parlé avec une voix si douce que ce n'était presque pas croyable de la part d'une sorcière.

— Ces bottines... Où les avez-vous

trouvées?

J'ai répondu.

— Elles sont à vous. On s'est renseignés dans une usine de chaussures.

— Où les avez-vous trouvées? a redemandé la sorcière.

— Chez moi. Dans ma chambre.

Elle a pris les bottines et les a élevées très lentement à la hauteur de ses yeux. Son sourire est devenu tout petit. Mais il était beau, il nous faisait presque du bien. On s'est détendus, sans trop savoir si on avait raison.

— D'où venez-vous? Comment vous appelez-vous?

Toujours la douceur surprenante dans sa voix.

— Moi, c'est Maxime. Mon amie s'appelle Jo. Mais le reste, je ne sais pas si vous allez le croire...

— Vous avez voyagé par l'entremise de ces bottines, n'est-ce pas?

— Oui. Oui, c'est bien ça.

— Est-ce que... Non, j'ose à peine y croire! Est-ce que vous venez du... futur?

On s'est regardés, Jo et moi. La peur qui me tordait le ventre depuis des heures s'est évanouie d'un coup.

— Oui, madame! a dit Jo tout excitée. On vient du futur! De l'année 1989, plus précisément!

La sorcière s'est caché le visage avec les mains pendant un moment. Puis elle a écarté les bras.

— Mon expérience a réussi! Elle a réussi! Je croyais que les bottines avaient disparu dans le vide éternel!

Elle s'est assise à côté de nous, comme si elle était contente de revoir de vieux amis après une longue absence.

— Racontez-moi! Parlez-moi de votre société! Dites-moi comment ce sera, l'avenir!

J'étais bien d'accord. Mais il y avait un mais.

— Tout le monde raconte que vous êtes une sorcière. Si c'est vrai, ne vous gênez pas. On aime bien savoir à qui on a affaire.

Elle a ri.

— Une sorcière, oui, c'est ce que les gens disent de moi. J'avoue que je ne fais rien pour les en dissuader, d'ailleurs. Puisque cela leur plaît d'y croire! Voilà pourquoi je vous ai reçus avec ce masque hideux, tout à l'heure.

— On vous a vue invoquer la lune! a dit Jo. Les gens normaux ne font pas ça.

— Il y a bien des choses que les gens normaux devraient faire et ne font pas. Moi, il m'arrive de parler à la lune, parce qu'elle est belle. Le jour, je parle au soleil pour la même raison.

— Vous ne vous transformerez pas en loup-garou?

— Mais non! Évidemment non!

— Et l'épidémie de variole, ce n'est pas vous qui l'avez déclenchée par sorcellerie?

Elle a baissé la tête.

— Je sais que les gens m'accusent d'avoir ensorcelé l'eau et le lait. Quelle bêtise! Ignorent-ils à quel point leur eau est sale? Il faudrait la filtrer avant de la boire, installer des machines dans ce but! Et le lait qu'ils consomment est infesté de microbes de toutes sortes. Un jour, la science trouvera la façon de le purifier, j'en suis certaine.

Puis elle a eu un doute.

— Mais vous me surprenez! Vous dites venir de l'année 1989 et vous croyez encore à ces balivernes? Ne me dites pas que le monde a si peu évolué en cent ans!

— Ce n'est pas ça, a dit Jo. Seulement, depuis qu'on est ici, on s'est laissé un peu influencer.

— Ah, tant mieux! Parlez-moi de la médecine du futur. A-t-elle vaincu la variole, la diphtérie, la tuberculose?

Je n'avais jamais beaucoup entendu parler de ces maladies. Alors, j'ai fait signe que oui.

— Est-ce possible? Aujourd'hui, 25 % des enfants meurent avant l'âge d'un an. La mortalité infantile est un fléau. Les conditions de vie des gens sont tellement insalubres!

Elle s'est levée.

— De nos jours, la vie est difficile. Plusieurs familles sont obligées de partir aux États-Unis pour trouver des emplois. Les hommes travaillent jusqu'à dix heures par jour et six jours par semaine. Comment peuvent-ils jouir de la vie si on les traite comme des bêtes de somme? Même les enfants doivent travailler.

— En 1989, Maxime et moi, on va à l'école. Tous les enfants y vont.

— Tous les enfants? Mais les parents doivent être très riches?

— Pas du tout. L'école est gratuite.

— Mais ce que vous me dites est extraordinaire! L'école gratuite? Le savoir à la portée de tous?

Elle nous a pris chacun une main et elle les a serrées. Elle était vraiment heureuse de rencontrer des enfants du futur. Je commençais à la comprendre.

Ce qu'on connaissait maintenant de son époque n'était pas très rose. Ça remonte toujours le moral quand on sait que ça ira mieux dans cent ans.

— Qui êtes-vous, madame? Pourquoi les gens vous prennent-ils pour une sorcière?

Chapitre IX
Le grimoire

Elle s'est mise à marcher dans la pièce. C'était beau de la voir. Elle se déplaçait comme une ballerine au ralenti.

— Je m'appelle Gabrielle Charbonneau. Les gens ne m'ont jamais acceptée parce que je ne fais rien de ce qu'ils attendent d'une femme. D'abord, je suis célibataire. Et surtout, je suis une chercheuse. Je m'intéresse à la science et à l'avenir de l'humanité. Nous vivons une période d'intense épanouissement intellectuel et je veux participer à cette grande aventure.

Un peu de tristesse est apparue dans sa voix.

— Mais hélas, je suis une femme! Seuls les hommes ont le droit de savoir, de penser et d'exprimer leurs opinions. Les idées d'une femme n'ont aucune valeur! Les femmes n'ont pas le droit de voter aux élections. Dans les usines, elles gagnent la moitié du salaire des hommes.

En l'écoutant, je comprenais qu'elle avait dû être une très bonne institutrice.

— Comme les gens n'aimaient pas que je parle ainsi à leurs enfants, ils m'ont chassée de l'école. Puis ils ont dit que j'étais une sorcière! Durant quelque temps, leurs superstitions m'ont arrangée. Personne ne s'approchait de moi et je pouvais tenter mes expériences en paix.

J'ai sauté au coeur du sujet.

— Mais les bottines? Et notre voyage à travers le temps? C'est une de vos expériences, ça?

Elle nous a pris par la main et nous a invités à la suivre dans l'autre pièce. Ça ressemblait à une salle de bibliothèque. Il y avait des livres plein les murs et d'autres empilés sur le sol. Même Hugo, chez nous, n'en possède pas autant.

Elle a désigné un gros bouquin sur une table.

— Vous voyez ce livre? C'est un grimoire. C'est lui qui m'a donné l'idée du voyage dans le temps.

— C'est quoi, un grimoire? a dit Jo.

— Un livre de magie. De sorcellerie, si vous préférez.

— Vous nous avez dit que vous n'étiez pas une sorcière!

— Je n'ai pas menti. La majorité des livres que je possède sont des ouvrages scientifiques. Mais j'ai aussi quelques livres de magie noire. J'ai fait plusieurs expériences dans ce domaine, assez pour découvrir que tout cela n'est, en général, pas très sérieux.

Un peu de poussière s'est envolée comme elle donnait une tape sur l'épaisse couverture.

— Cependant, les grimoires contiennent parfois des idées intéressantes. Vous savez, la science n'appartient pas seulement aux scientifiques.

Péniblement, elle a soulevé le bouquin.

— Dans ce grimoire, j'ai trouvé une formule soi-disant magique pour connaître l'avenir. Avec moi, elle n'a jamais fonctionné. J'ai toutefois compris qu'il était théoriquement possible de quitter le présent et de voyager vers le futur.

Gabrielle feuilletait maintenant le grimoire, comme si elle cherchait une page en particulier.

— En me basant sur ce livre et sur des ouvrages scientifiques, j'ai tenté une multitude d'expériences. L'une d'entre elles consistait à fabriquer des bottines qui serviraient de moyen de transport à travers le temps. Cette idée me faisait rire moi-même, mais il fallait tout essayer.

Elle a posé le livre ouvert sur la table.

— J'ai dessiné les plans, puis j'ai présenté ma commande à l'usine. Il y a six mois, après avoir fait les calculs nécessaires, j'ai chaussé les bottines. Pourtant, elles seules sont parties.

— Si j'ai bien compris, vos bottines ont traversé le temps jusqu'en 1989 et elles sont réapparues chez moi, dans ma chambre. Quand je les ai chaussées, elles ont automatiquement refait le même trajet, en sens contraire.

— Je crois que c'est ce qui a dû se produire.

— Gabrielle, a dit Jo, serais-tu capable de nous ramener chez nous, en 1989?

— Je crois que oui. Enfin, je l'espère. Depuis quelque temps, je travaille à un autre projet. J'ai construit une machine.

— Où est-elle? Pourrais-tu nous ramener tout de suite?

— Elle n'est pas ici. Mais si vous voulez retourner chez vous, je vais vous y conduire.

J'ai posé une question à mon tour.

— Pourquoi désires-tu tellement connaître l'avenir?

Elle se tenait debout, au milieu de tous ses livres magiques et scientifiques. Une lampe à l'huile éclairait son visage. Mais on aurait dit que la lumière venait de Gabrielle et pas de la lampe.

— L'avenir? Je crois que les connaissances que nous acquerrons peuvent changer le monde. Que la science soulagera les misères de l'humanité. Qu'elle nous aidera à construire un monde meilleur. Oui, je crois que c'est possible.

Parce qu'on ne disait rien, elle s'est penchée vers nous.

— Est-ce que je me trompe? Le futur ne ressemble-t-il pas à cela?

On avait entendu des voix venant du dehors. Des voix d'hommes.

— Les chasseurs de loup-garou! a dit Jo. Ils sont venus ici pour te tuer, Gabrielle!

Chapitre X
L'horloge grand-père

— Vous êtes sûrs? S'ils vous trouvent avec moi, ils vont vous tuer aussi!

Elle a tendu l'oreille. Les voix se rapprochaient.

— Fuyons vite! Par là!

Elle a ouvert une petite porte cachée derrière la table. Puis elle s'est faufilée en premier dans l'ouverture. C'était une sorte de tunnel. Assez rapidement, on s'est retrouvés tous les trois dehors. Maintenant, on entendait mieux les chasseurs.

— Courons vers la rivière! Là-bas, nous serons sauvés!

On a couru. On commençait à être habitués. C'était comme si on n'avait fait que ça toute la journée.

Les hommes étaient de plus en plus proches. Plusieurs brandissaient leur faux avec de grands rires. Nous couper la tête, ce serait quelque chose de vraiment tordant pour eux! Mais il ne fallait pas trop leur en vouloir. Ils avaient bu beaucoup de vin et les adultes perdent souvent leur intelligence dans ces cas-là.

Je ne voulais pas mourir et je souhaitais la même chance à Jo. Je ne voulais pas non plus qu'ils fassent de mal à Gabrielle. Quand la rivière est apparue entre les arbres, Gabrielle a bifurqué vers la gauche.

On a longé la rive, tout essoufflés, mais on ne voyait toujours rien qui pouvait nous sauver. Gabrielle s'est glissée dans la forêt, puis elle est revenue en tirant un canot.

— Embarquez! C'est un canot d'écorce! Nous allons partir en chasse-galerie!

Plus tard, j'ai su que la chasse-galerie était fondée sur de vieilles légendes. La nuit, dans les chantiers, les bûcherons s'ennuyaient souvent de leurs amoureuses. Alors, ils s'embarquaient dans un canot d'écorce et vendaient leur âme au diable. En échange, le diable faisait voler le canot jusqu'au village.

Même si ça n'avait pas plus de sens que des bottines-à-voyager-dans-le-temps, on a obéi à Gabrielle. Elle est montée avec nous, puis elle est redescendue comme si elle avait oublié quelque chose.

— Je ne peux pas embarquer. Je viens de me rappeler que les passagers doivent être en nombre pair. Et nous sommes trois.

— Ils vont te trancher la gorge! a dit Jo.

Au lieu de répondre, Gabrielle nous a expliqué la route à suivre.

— Ça ne marchera pas! Un canot ne peut pas voler!

— Simple question de vents et d'aérodynamique. Ça n'a rien de sorcier. Pour vous diriger, utilisez les avirons.

Elle a prononcé une espèce de formule et le canot s'est arraché du sol. Ça rappelait les effets spéciaux au cinéma, sauf que c'était vrai. D'en haut, on a vu Gabrielle se remettre à courir. Juste à temps, parce que les hommes étaient presque parvenus à la rivière.

Le vent sifflait fort dans nos oreilles et le canot n'avait pas l'air très sûr de lui. Gabrielle et ses poursuivants sont devenus tout petits, ensuite on les a perdus de vue.

Plus on montait et plus il faisait froid. On s'est alors mis à ramer comme si c'était normal. Le plus bizarre, c'est que le canot obéissait à nos coups d'aviron.

Après quelques minutes, on a aperçu la grotte où se trouvait la machine. Mais comment faire pour descendre? On a cessé de ramer et le canot a perdu de l'altitude.

Comme on n'avait pas suivi de cours de pilotage, le canot s'est posé en catastrophe. Jo et moi, on a rebondi comme des balles. Puis on a couru vers la grotte pour se cacher.

Au bout d'un couloir humide et obscur, on a trouvé un peu de civilisation. Il y avait un fanal allumé, un grand matelas avec des couvertures, une table, des livres et un garde-manger. Placée tout au fond, une gigantesque horloge grand-père attirait le regard.

Elle était énorme, la plus grosse que j'aie jamais vue. Elle devait mesurer sept ou huit mètres de hauteur. Son pendule était aussi large que le derrière d'un autobus.

On était crevés après toutes ces émotions. On se demandait si Gabrielle était toujours vivante et si elle nous rejoindrait dans la grotte tel que promis. Quand on est mort, c'est très difficile de tenir ses promesses.

On s'est endormis tous les deux avec ces sombres pensées.

C'est Gabrielle qui nous a réveillés. Elle souriait et ne semblait pas avoir subi de blessure. Une heure ou deux avaient dû s'écouler depuis notre séparation. Je lui ai demandé comment elle avait fait pour parvenir jusqu'ici.

— Ah! vous oubliez que je suis une sorcière!

Son rire de malédiction a éclaté dans la grotte. Il ne me faisait plus peur et je le trouvais même plutôt comique. Il donnait le goût de rire avec elle.

Gabrielle a tendu le bras vers le fond de la grotte.

— Vous avez vu la machine?

Tout ce qu'on voyait, c'était l'horloge grand-père géante.

— Il nous reste maintenant à faire un essai.

— Quoi? a dit Jo. Cette horloge, c'est une machine-à-voyager-dans-le-temps?

— C'est ce que je souhaite de tout coeur. J'ai vérifié mes calculs maintes et maintes fois. Elle devrait vous ramener chez vous.

Je n'étais quand même pas entièrement convaincu.

— Et si ça ne fonctionne pas?

Elle est devenue sérieuse tout à coup. Puis elle s'est forcée à paraître de bonne humeur.

— Le pire qui puisse vous arriver, c'est que vous demeuriez ici.

— On te fait confiance, Gabrielle, a dit Jo d'une voix incertaine.

C'était vrai qu'on lui faisait confiance,

Le voyage dans le temps

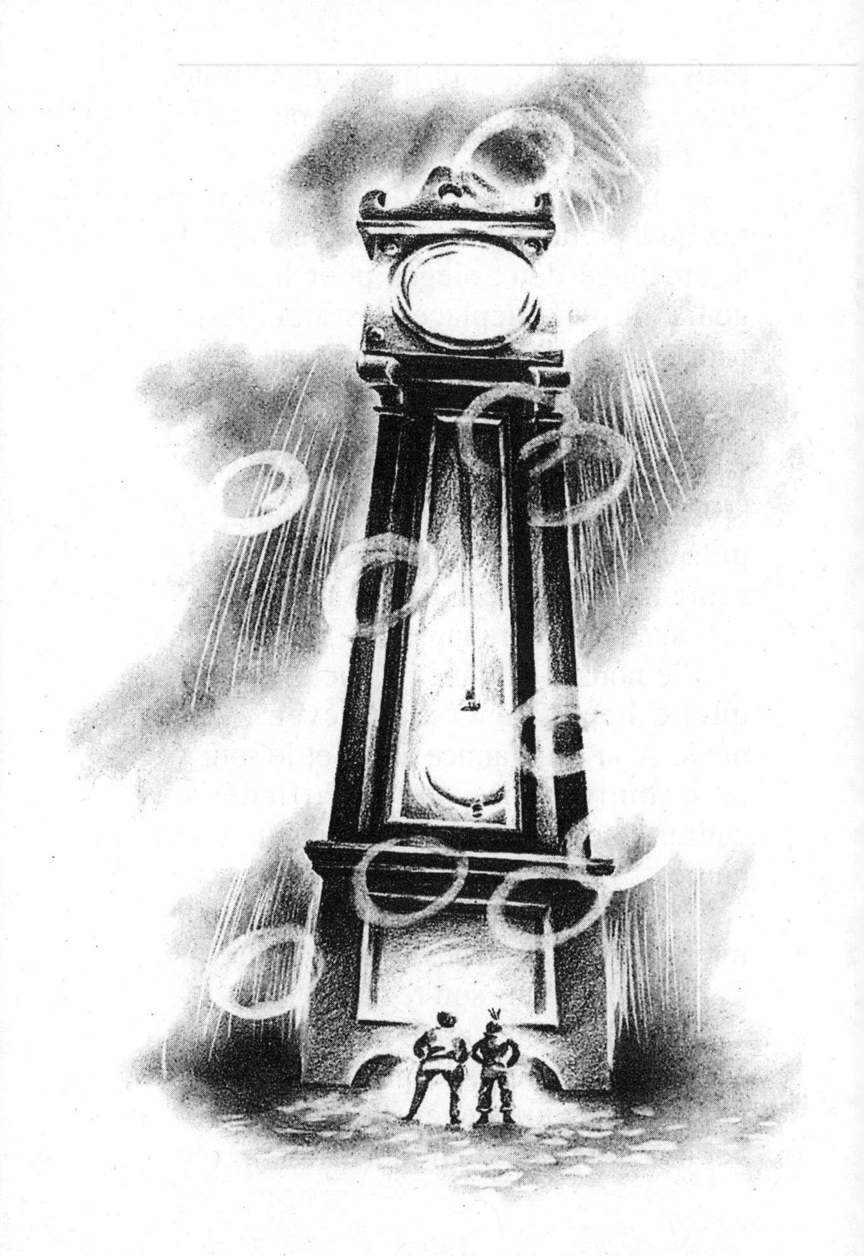

mais il y avait quand même des limites. Elle nous a fait signe de nous rapprocher de l'horloge.

— Quand vous serez prêts, vous n'aurez qu'à prendre place sur le pendule. J'y ai aménagé deux sièges pour les voyageurs. Je vais déplacer les aiguilles du cadran jusqu'à l'heure précise de votre arrivée. Le jour et l'année apparaîtront sur un second cadran situé juste en haut, vous voyez?

Elle est montée dans une échelle, jusqu'à ce qu'elle soit à la hauteur des cadrans. Puis elle a tourné des roues et actionné des engrenages.

Elle nous a demandé à quelle date et à quelle heure on voulait revenir chez nous. À la fin, l'année 1989 et le jour de mon anniversaire étaient affichés au cadran. Les aiguilles indiquaient vingt heures.

Gabrielle s'est plantée devant nous, les mains sur les hanches. Il y avait un peu d'admiration dans son regard.

— J'aurais bien aimé partir avec vous. Malheureusement, le pendule ne comporte que deux sièges. Je vous retrouverai peut-être un jour, qui sait?

Elle s'est accroupie. Elle nous regardait droit dans les yeux.

— Je n'ai pas eu le temps d'en apprendre beaucoup sur votre monde. Voudriez-vous m'en parler un peu, juste pour me laisser un souvenir?

C'est moi qui ai pris l'affaire en main.

— Il y aurait tant de choses à raconter, Gabrielle.

— Alors, dites! Il n'y a plus de misère, là d'où vous venez? Vous êtes bien vêtus et vous me semblez en parfaite santé. La vie doit être beaucoup plus facile que maintenant.

J'ai pensé au four à micro-ondes acheté par mon père, au magnétoscope de Pouce, aux voitures, aux avions et au lait sans microbes. J'ai pensé à une bonne douche chaude, aux vaccins et à ma mère qui travaillait dans un garage. J'ai pensé à une foule de choses.

— Oui, la vie est plus facile que maintenant.

— Grâce à la science, les inégalités sociales ont diminué, ainsi que l'ignorance et les injustices? Il n'y a certainement plus de guerres chez vous? Les gens sont plus évolués, plus pacifiques, plus tolérants? Allez-y, dites-moi la vérité.

Ça la rendait heureuse d'imaginer le futur ainsi. Moi, je songeais à ce que je voyais tous les jours aux Informations. J'aurais voulu ne plus rien dire, mais elle ne me rendait pas la tâche facile.

— Ça vaut beaucoup mieux que tu ne partes pas avec nous, Gabrielle.

— Pourquoi cela?

— Je pense que tu ne survivrais pas au choc du voyage.

Elle s'est redressée en silence. Comme c'était une femme optimiste, elle a vite chassé le malaise.

— Installez-vous sur le pendule maintenant. Je ne voudrais pas que ces brutes vous découvrent ici.

Elle nous a aidés à nous asseoir de chaque côté du pendule. Ensuite, elle a actionné une manette et le pendule s'est mis à osciller de plus en plus vite.

— Au revoir, Jo et Maxime! Et prenez bien soin du futur!

On aurait voulu la remercier et lui dire à bientôt. Mais on était comme paralysés à cause des mouvements du pendule.

L'image de Gabrielle s'est effacée. La

grotte s'est remplie de millions de points de couleur.

Pendant un long moment, je n'ai plus pensé à rien. Je ne savais même pas si j'existais encore.

Épilogue

Quand on est sortis de ma chambre, tout le monde était encore autour de la table. Prune, Hugo, Ozzie et Pouce finissaient mon gâteau d'anniversaire. Ils riaient. C'était ma fête et ils avaient bien raison de s'amuser.

J'ai pris tout de suite mon père et ma mère dans mes bras en les serrant très fort. Quand j'ai commencé à pleurer, ils ont remarqué ma saleté et mes chaussures trouées. Ils ont regardé Jo.

Elle parlait au téléphone avec sa mère. Elle pleurait aussi, à cause de la joie et des émotions fortes.

Hugo et Prune ne comprenaient pas. Ils pensaient qu'on était sortis et qu'on avait eu un accident pendant notre promenade.

Pour eux, tout ça avait duré un quart d'heure à peine.

Avant de leur raconter, j'ai regardé par

la fenêtre.

La pleine lune ne faisait plus peur à personne. Elle paraissait d'excellente humeur. J'ai même eu l'impression qu'elle m'adressait un clin d'oeil.

Denis Côté

LA NUIT DU VAMPIRE

Illustrations
de Stéphane Poulin

la courte échelle

Chapitre I
La musique adoucit les moeurs

On aurait cru qu'une guerre avait éclaté dans l'école. Pas la guerre des tuques ou quelque chose du genre. Une vraie guerre! Avec des explosions et des cris de souffrance à n'en plus finir.

Personne ne se battait pourtant. En réalité, j'assistais à un spectacle *heavy metal*.

Je n'avais jamais vu autant de monstruosités à la fois. Je ne dis pas ça méchamment. Ce n'est pas ma faute à moi, si les artistes *heavy metal* mettent de l'horreur dans leur musique.

Les musiciens sautaient sur la scène comme s'ils étaient en pleine crise d'hystérie. Ils torturaient leur guitare avec des grimaces de sadiques. Et la musique n'arrêtait pas de hurler tant ça lui faisait mal.

Au lieu de s'enfuir, les spectateurs applaudissaient. Ils criaient tellement qu'ils

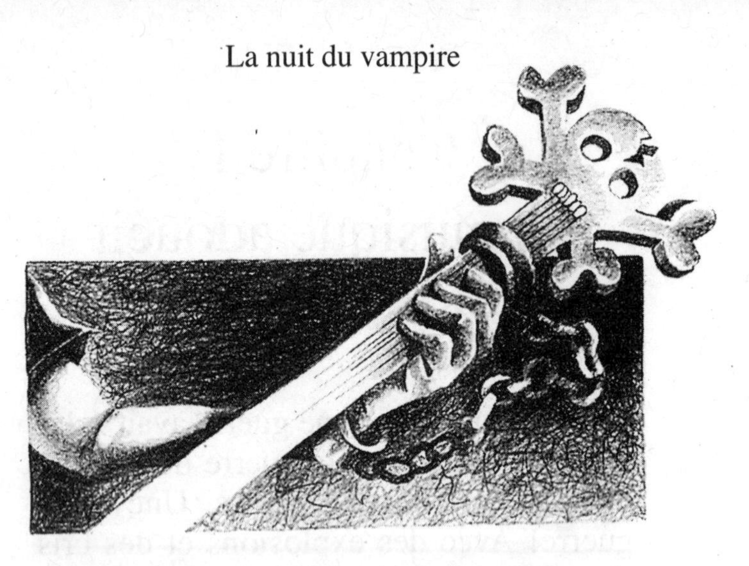

semblaient avoir chacun dix paires de poumons.

Moi, je me bouchais les oreilles de temps en temps. J'étais le seul, au fond, à comprendre le *heavy metal*.

Même la météo se mettait de la partie. Car elle prévoyait de terribles bourrasques de neige cette nuit-là.

Ce spectacle infernal, c'était la faute de ma soeur. Depuis longtemps, Ozzie voulait organiser un Festival amateur de musique *heavy metal*. Elle raffole de ça et elle-même joue de la batterie dans un orchestre appelé Nuit Noire.

Évidemment, son projet n'avait pas plu à la Direction de l'école et plusieurs parents étaient contre. Mais à force de harceler l'animateur culturel, elle avait fini par gagner.

Au programme, il y avait plusieurs orchestres de la région. La catastrophe se déroulait dans l'amphithéâtre de l'école et la salle était bourrée de jeunes.

Hugo et Prune, mon père et ma mère, n'avaient pas voulu y assister. Il faut dire que Hugo était malade. S'il était venu, le *heavy metal* l'aurait achevé, j'en suis sûr.

«Les amis, a annoncé Etcétéra aux spectateurs, voici maintenant le clou du spectacle!»

Etcétéra, c'est l'animateur culturel de l'école. Les élèves adorent se moquer de lui. Il a au moins trente-cinq ans et il se déguise comme un jeune. Contrairement à mon père et à ma mère, on dirait qu'il a honte d'être vieux.

«Le groupe que vous attendiez tous: PTÉRODACTYLUS!»

Etcétéra et Ozzie avaient invité des musiciens professionnels pour terminer la soirée. D'après ma soeur, Ptérodactylus était le super orchestre québécois dans cette catégorie.

Les quatre musiciens sont arrivés en se déhanchant, à la manière des cowboys. C'étaient de vrais pros du *heavy metal*: affreux comme ce n'est pas possible. Ils portaient tous des chaînes et du cuir noir, sauf un qui était plus chic.

On le remarquait tout de suite, celui-là. Incroyablement grand et maigre, des lunettes noires cachaient ses yeux et le

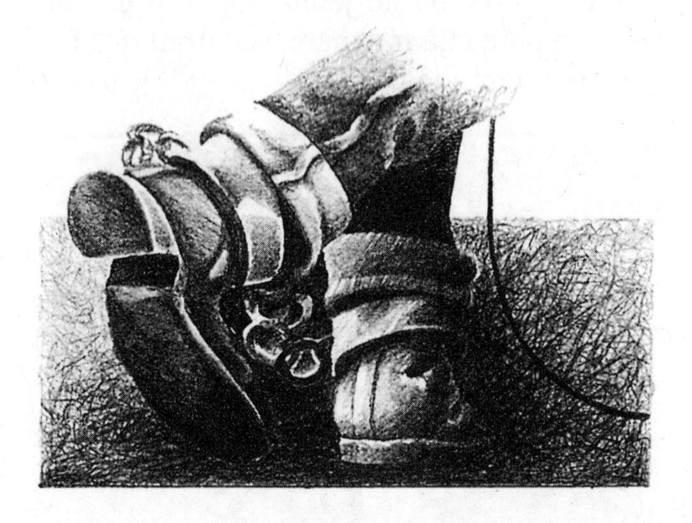

reste de son visage était blanc à faire peur.

— Écoute-le bien! m'a lancé Ozzie. C'est Red Lerouge, le meilleur guitariste rock du Québec! La vedette du groupe Ptérodactylus!

Quand ils ont commencé, le public s'est excité encore plus. Même moi, je trouvais leur musique presque supportable. En jouant un long solo de guitare, Red Lerouge a donné tout ce qu'il avait dans le ventre, comme on dit souvent.

Ozzie se tenait sur le bout de son siège. Elle souriait et ses yeux brillaient. À la fin, elle a crié «bravo» au moins cinquante fois. Moi aussi, j'étais content parce que le moment de partir était venu.

— Vous restez à la fête? nous a demandé Etcétéra. Tous les musiciens sont invités. Et toi aussi, Maxime!

Les spectateurs se dépêchaient de sortir. Certains disaient que la tempête avait débuté.

À contrecoeur, je suis demeuré avec Ozzie et une quinzaine d'autres musiciens.

Je me sentais à part. Non seulement j'étais le plus jeune, mais je faisais presque une indigestion de *heavy metal.*

Le petit banquet était déjà servi. Il y avait de la bière, un gros plat de salade et plusieurs sortes de viandes.

La bière a eu beaucoup de succès. Les filles de Nuit Noire aussi. Tous les garçons leur tournaient autour, même ceux de Ptérodactylus qui n'étaient pas si jeunes que ça.

Fidèle à son habitude, Etcétéra jouait à l'homme important. Il se promenait parmi les musiciens en riant et en parlant très fort.

Les autres membres du groupe Ptérodactylus étaient: Jekyll, le batteur, Gorgo, le bassiste, et Karl, le deuxième guitariste. En marchant, ils faisaient des bruits de chaînes comme des évadés de prison. Et ils n'avaient pas l'air plus rigolos quand ils riaient. Même leurs bras tatoués avaient de sales gueules.

Le seul qui ne s'amusait pas, c'était le guitariste. Red Lerouge regardait autour de lui sans sourire et il croquait un morceau de carotte de temps à autre. Personne n'osait l'approcher tellement il était bizarre.

Ses longs cheveux noirs créaient tout

un contraste avec son visage trop blême. Sa bouche était d'un rouge dégoûtant et ce n'était même pas du maquillage.

Il portait un gilet de satin et une chemise de dentelle. Je trouvais son déguisement très féminin. Impossible de deviner à quoi il pensait, puisqu'il avait gardé ses lunettes noires. C'était un homme imperturbable, comme on dit.

Une fois, il est venu à la table prendre un morceau de légume. Tout à coup, on aurait juré que quelqu'un l'avait mordu, car il a bondi en arrière.

Il se bouchait le nez avec la main. Karl l'a regardé en fronçant les sourcils et Red lui a indiqué le plat de salade.

Si la vinaigrette lui faisait cet effet-là, son odorat était drôlement sensible. Je me suis approché pour sentir. La salade dégageait une forte odeur d'ail.

Brusquement, Etcétéra a élevé la voix afin d'imposer le silence.

— La radio vient de diffuser un bulletin spécial! Les routes de la région sont devenues impraticables à cause de la tempête. Je propose donc qu'on reste à coucher ici. D'ailleurs, il y a tout ce qu'il nous faut à l'intérieur de l'école. Des salles de classe en grande quantité, des sacs de couchage, de la nourriture, etc.!

Des cris de joie ont accueilli sa proposition. J'ai jeté un coup d'oeil à Ozzie, mais elle m'avait temporairement oublié. Elle riait comme une folle avec ses copines de Nuit Noire: Marie, Suzie et Annie.

L'idée d'Etcétéra était loin de m'enchanter. Je m'ennuyais déjà de Prune et de Hugo et j'avais très hâte de plonger dans mon lit.

Red et ses trois amis se sont approchés de la radio. Ils semblaient préoccupés. L'annonceur qualifiait la tempête de «phénoménale».

J'ai dit à Ozzie:

— J'aimerais téléphoner chez nous et souhaiter bonne nuit à papa et à maman.

Son sourire s'est penché vers moi pour me donner une bise.

— D'accord, Maxime! Tout de suite?

J'ai fait signe que oui et elle m'a embrassé encore une fois. Ça m'a obligé à m'essuyer, à cause du rouge à lèvres de couleur verte.

Elle est revenue avec une mauvaise nouvelle.

— Le téléphone est hors d'usage! Etcétéra pense qu'il y a une panne dans la région. Mais ne t'en fais pas, on va bien s'amuser!

À ce moment précis, toutes les lumières de l'école ont décidé de s'éteindre.

Chapitre II
Panne d'électricité!

Quand l'obscurité survient à l'improviste, il y a toujours des cris. On n'a pas fait exception à la règle.

— Une panne d'électricité! a dit Etcétéra. Ne nous affolons pas!

Quelqu'un a allumé un briquet. Le visage d'Etcétéra est apparu au-dessus de la flamme.

— Procédons de façon systématique. La priorité immédiate consiste à trouver de quoi nous éclairer.

— Génial! a répondu Stéphane qui était un petit comique.

— Dans la remise du sous-sol, on trouvera des bougies, des lampes de poche, etc. J'aurais besoin de deux volontaires.

— Tu as peur des fantômes? a demandé Stéphane.

Il voulait sans doute détendre l'atmosphère, mais son allusion ne me plaisait absolument pas.

Dans les circonstances, je n'aurais pas aimé du tout me promener seul à l'intérieur de l'école. Lorsque les ténèbres envahissent un endroit, celui-ci paraît souvent abandonné. Et l'abandon c'est très angoissant, à mon avis.

— Ne quittez pas cette salle jusqu'à notre retour! En attendant, parlez, riez, etc. Ça vous fera du bien.

Il est descendu avec Stéphane et un costaud nommé William.

La parlote et les rires ont redémarré tout de suite.

Etcétéra n'aurait pas apprécié ce

qu'on disait de lui. Il avait vraiment l'air de prendre ces événements au sérieux. Depuis toujours peut-être, il rêvait d'être un chef et l'occasion de réaliser son vieux rêve arrivait enfin.

Pourtant les rires et les moqueries ne me rassuraient pas. Notre groupe était prisonnier d'une immense école plongée dans le noir. Toute communication avec l'extérieur était coupée. Dehors, la neige tombait comme une enragée et le vent au loin chantait une chanson triste.

Je me suis demandé si Hugo et Prune subissaient la panne, eux aussi. Ils étaient sûrement inquiets, en tout cas.

Et j'ai pensé à Jo, toute seule sous ses couvertures glacées. Je l'imaginais en train d'appeler un héros à son secours et je souhaitais qu'elle m'ait choisi.

À travers les conversations, je n'ai plus entendu la voix de ma soeur. J'ai prononcé son nom timidement. Elle n'a pas répondu.

Un frisson m'a saisi. Il y a quelques minutes, la lumière était morte subitement. Maintenant, la chaleur partait sur la pointe des pieds, en hypocrite.

Soudain, un hurlement a éclaté en

dehors de la pièce. Mon coeur s'est énervé. C'était la voix d'Ozzie!

Tout le monde s'est précipité dans le couloir. On a retrouvé ma soeur immédiatement. Elle était à côté de Red qui nous regardait derrière ses verres fumés.

— Excusez-moi! a dit Ozzie, en portant une main à son front. Je suis tombée sur Red en allant aux toilettes.

— Ça pressait à ce point-là? a demandé Suzie.

Red ne parlait pas. D'ailleurs, je n'avais toujours pas entendu le son de sa voix. À la lueur des briquets, sa peau était presque phosphorescente. On aurait dit que l'air autour de lui était glacial. Ozzie s'est écartée.

— C'est stupide, Maxime, mais Red m'a vraiment fait peur! Pourtant il n'a même pas dit un mot. Il était juste là et... et... oh! il m'a terriblement effrayée!

— Que faisait-il dans le couloir?

— Sûrement la même chose que moi. N'empêche que... ouf!

Elle a secoué la tête pour se remettre les idées en place.

Etcétéra, William et Stéphane sont revenus. En bas, ils avaient déniché de grosses lampes de poche et une boîte de chandelles. Ils avaient aussi monté quelques sacs de couchage. Le visage fendu par un sourire, Etcétéra a commencé la distribution.

— Tout le monde aura des bougies, mais il y a seulement trois torches électriques. Il faudra nous satisfaire de ça, etc. Quand chacun aura son sac de couchage, je vous montrerai les classes où vous pourrez dormir.

La joie était partiellement de retour. Dans un coin, Ptérodactylus tenait un conciliabule. Quand Etcétéra est remonté, Jekyll est venu vers lui.

C'était le plus terrible, celui-là, avec ses bracelets de cuir et ses chaînes autour du cou. Son visage était zébré de noir, comme si plusieurs bicyclettes lui étaient passées dessus.

— Euh...! Ça va te paraître bizarre... euh...! Tu n'aurais pas une longue caisse en bois quelque part?

— Une caisse en bois, etc.? De quelle longueur précisément?

Jekyll a jeté un coup d'oeil afin de voir si quelqu'un d'autre l'écoutait. Pendant que je regardais ailleurs, il a répondu:

— Au moins deux mètres.

Etcétéra a montré de la surprise et ça lui donnait un air intelligent. Il était vraiment méconnaissable.

— C'est pour... euh...! ranger du matériel très fragile... Tu nous rendrais énormément service.

Etcétéra a fait semblant de réfléchir, puis il s'est exclamé:

— Je pense avoir ce qu'il te faut! Suis-moi!

Escorté par Jekyll et Gorgo, il est sorti.

Cette histoire de caisse me rendait curieux. En réalité, Red et ses trois compagnons m'intriguaient de plus en plus.

Lorsque chacun d'entre nous a eu son sac de couchage, Etcétéra a prononcé un autre discours.

— Si vous n'y voyez pas d'inconvénient, chaque orchestre dormira dans une classe différente. Cela vous assurera un minimum d'intimité, de confort, etc. Quant à moi, j'ai mon bureau. Suivez-moi maintenant, je vais vous guider.

C'était la première fois que je marchais à l'intérieur de l'école en pleine nuit et je reconnaissais à peine les lieux. Ozzie était à mes côtés. Elle ne s'amusait plus beaucoup depuis sa collision avec Red.

Comme il y avait quatre orchestres, il nous fallait quatre classes. Malgré ma gêne d'être un garçon, j'ai choisi de m'installer auprès d'Ozzie et de ses copines.

Éclairés à la chandelle, on a déplacé les pupitres et les chaises au fond de la classe. Ensuite, on a déballé les sacs de couchage.

Pendant que les filles parlaient, j'ai décidé d'aller voir comment se débrouillaient les autres. C'est Ptérodactylus qui m'intéressait vraiment. Mais je ne voulais pas m'éloigner et j'ai seulement jeté un coup d'oeil.

Au bout du corridor, Jekyll et Gorgo portaient une caisse de bois jusqu'à une classe.

Je trouvais ça étrange. D'abord, je me demandais pourquoi ils avaient choisi une classe loin des autres. Il y avait aussi cette caisse: à quoi donc pouvait-elle servir?

En les voyant comme ça, dans la pénombre, une drôle d'image m'est venue à l'esprit.

Jekyll et Gorgo ressemblaient à des fossoyeurs transportant un cercueil.

Chapitre III
Incident numéro 1

Annie, Marie et Suzie ne parlaient plus. Près de moi, Ozzie essayait de s'endormir.

J'aurais bien voulu être invisible et m'approcher du groupe Ptérodactylus pour l'espionner. Ou posséder des yeux rayons X qui m'auraient permis de voir à travers les murs. Mais je n'avais que mon imagination et ça ne donnait aucun résultat.

Je me suis assoupi.

Un fracas de vitre cassée m'a réveillé brusquement. Ozzie s'est redressée à la même vitesse que moi.

On s'est précipités dans le corridor obscur. Quelqu'un a allumé une torche électrique et la noirceur est devenue plus civilisée. Presque tout le monde était déjà sorti. On se regardait avec des yeux bourrés de points d'interrogation.

— On dirait qu'une fenêtre a éclaté!

— Ça venait d'en bas, j'en suis sûr!

On s'est dirigés prudemment vers l'escalier. Ptérodactylus s'était joint à nous, sauf Red que je ne voyais nulle part.

Puis Etcétéra nous a lancé un appel de détresse et l'on s'est mis à courir. Sa voix venait de la salle de pastorale.

On s'est engouffrés dans la pièce comme si une vie humaine était en jeu. Ensuite, la surprise nous a statufiés! C'était une bonne réaction de notre part, puisque ce genre d'endroit contient souvent des statues.

Sans un mot, Etcétéra nous montrait un vitrail. L'ayant vu une fois ou deux, je me rappelais qu'il avait été joli. C'était un peu une oeuvre d'art, en fait.

Maintenant, ce vitrail s'éparpillait en millions de morceaux qui jonchaient le sol.

— N'avancez pas! Vous pourriez vous blesser!

Quelques-uns parmi nous étaient pieds nus. Il aurait fallu être un fakir, en effet, pour marcher là-dessus sans se couper.

— Je m'étais assoupi dans mon bureau. Je suis accouru en entendant le fracas. Mais je n'ai croisé personne.

— C'est le vent qui a fait ça? a demandé Marie.

— Le vent? Quel vent? Le vent ne peut pas se faufiler ici!

Etcétéra avait raison. La pièce était dépourvue de fenêtre et l'on ne sentait aucun courant d'air.

William a eu un rire nerveux:

— Ce vitrail s'est brisé tout seul, c'est simple! Il avait sûrement un défaut de fabrication!

— Mmm, a commenté Etcétéra d'un air songeur.

— À quoi tu penses? a dit Ozzie. Tu crois que quelqu'un a fait ça volontairement?

Etcétéra promenait sur nous son regard de détective. Un regard rempli de suspicion. Cette drôle d'atmosphère me donnait la chair de poule.

— Quelqu'un se souviendrait-il de ce que représentait le vitrail?

On a échangé des coups d'oeil interrogateurs. Moi, je me rappelais juste que ça se rapportait à la religion.

— Je vais vous le dire! a lancé Etcétéra. Il représentait un crucifix! Un immense crucifix que quelqu'un a senti l'étrange besoin de détruire, etc.!

Ozzie a levé les yeux en l'air pour montrer son impatience.

Depuis un moment, Etcétéra fixait un point derrière nous. On s'est retournés et l'on a vu que Red nous avait rejoints.

Etcétéra le regardait avec une insistance pas catholique. Dans une salle de pastorale, ce n'était pas très correct. On ne pouvait pas savoir si Red lui rendait la pareille, à cause des lunettes noires.

— Que faisais-tu, Red, quand l'incident s'est produit?

Le guitariste est resté froid comme du métal. Ça lui allait bien, d'ailleurs, vu son genre de musique. Nous, on attendait sa réponse. On se serait crus à l'écoute d'un jeu-questionnaire.

— Ce que je faisais? Je dormais, tout simplement.

J'ai sursauté. Sa voix était si laide qu'elle ressemblait à un cauchemar! Comment pouvait-on émettre un son aussi épouvantable?

Les écrivains appellent ça une voix blanche. C'est atroce! Un peu comme si de la glace entrait par nos oreilles et nous refroidissait jusqu'au coeur. Ça gelait en

La nuit du vampire

dedans de moi. Je pense que c'était collectif, parce que les autres aussi s'étaient figés.

Pourtant, j'avais reconnu quelque chose dans cette voix. Une intonation que j'avais souvent entendue.

Celle du mensonge!

Car Red avait menti. J'en avais la certitude.

Chapitre IV
On ne rit plus!

On est retournés à nos sacs de couchage. Mais comment dormir quand arrivent des histoires pareilles?

Plus personne n'avait le coeur à rire. Et pourtant, Suzie se forçait à faire des blagues. Je crois qu'on appelle ça une approche thérapeutique. D'ailleurs, Suzie souhaitait devenir médecin plus tard.

Ma soeur était gentille avec moi et j'essayais de jouer au grand frère avec elle. J'éprouvais quand même de l'inquiétude. J'aurais voulu que Prune et Hugo soient là.

— Depuis quand connais-tu Red Lerouge?

J'ai dû lui répéter ma question, parce que ma voix était pâlotte. Ozzie a changé d'expression.

— Pourquoi tu demandes ça?

— Pour savoir.

— Je ne le connais pas vraiment. C'était la première fois aujourd'hui que je le rencontrais.

— Que sais-tu de lui?

Elle a fait une moue presque triste.

— Rien, au fond! Les journaux disent qu'il est très effacé.

J'ai fixé longtemps ma soeur sans rien dire. Une question était coincée dans ma gorge. J'aurais voulu qu'Ozzie me secoue pour la faire sortir.

— Veux-tu savoir autre chose, Maxime?

— Oui. Est-ce que Red te fait peur?

Malgré l'obscurité, j'ai vu ses yeux qui brillaient curieusement.

— Maintenant oui... Je pense qu'il me fait un peu peur.

J'aurais aimé étreindre ma soeur à ce moment-là. Mais la voix d'Etcétéra a jailli du corridor. Il nous demandait de nous rassembler dans la salle de banquet.

— En pleine nuit? a dit Suzie. Il est complètement fou, ce gars-là!

— Autre chose a dû se produire, a répondu ma soeur.

On s'est tous retrouvés là où cette panne nous avait surpris quelques heures avant. Etcétéra avait posé une lampe allumée sur un meuble. On devinait tout de suite qu'il nous annoncerait une mauvaise nouvelle.

— Les amis...

Il s'est arrêté un instant pour mieux alourdir l'atmosphère.

— Après l'affaire du vitrail, j'ai décidé d'effectuer une ronde. Je me sens un peu responsable de votre sécurité, vous comprenez?

— Oui, mon général, a dit Stéphane tout bas.

— Je voulais trouver un indice, un signe, une preuve...

— Etc., a complété Stéphane.

— Figurez-vous que j'ai fait une découverte stupéfiante! Oui, positivement stupéfiante!

— Que s'est-il passé? a demandé Suzie avec impatience.

— Ne sautons pas aux conclusions trop vite, vous voulez bien? Essayons de garder la tête froide.

— Il m'énerve! a grogné Marie.

— La serrure du laboratoire de biologie a été forcée. Quelqu'un s'est introduit dans la classe par effraction.

Il y a eu des «hein?» et des «oh!», puis des visages étonnés qui se regardaient.

— Je sais par un professeur qu'il y avait au frigo une vingtaine de sachets. Des enveloppes en plastique dont le contenu devait être analysé au microscope par les élèves. Or, ces vingt sachets ont été volés!

Ça nous a coupé le souffle. Stéphane a été le premier à s'en remettre. Il n'avait toutefois plus le goût de blaguer.

— Les sachets contenaient quoi exactement?

Etcétéra nous a balancé la réponse avec la force d'un coup de poing.

— Du sang d'animal! De poulet ou de porc, etc.!

— Ouache! a dit Annie en faisant une belle grimace *heavy metal*.

Je n'aimais absolument pas ce qui se produisait. Ce vol de sang m'engourdissait comme si je perdais le mien. Mes jambes étaient faibles. Mais pas mes yeux qui ont clairement vu Jekyll, Karl et Gorgo tourner la tête du côté de Red.

— Voulez-vous bien me dire ce qui se passe ici? a demandé William. Qui peut être assez détraqué pour voler du sang?

Il s'adressait à nous tous. Comme durant un examen difficile, personne ne savait la réponse.

— J'ignore les intentions de ce voleur, a repris Etcétéra. Sur son identité cependant, il n'existe que deux hypothèses. Ou bien il s'agit d'un inconnu caché dans l'école. Ou bien...

— Ou bien quoi? s'est lamentée Suzie.

— Ou bien il s'agit de l'un d'entre nous, etc.!

Ce n'était plus un coup de poing, mais la raclée complète.

Ozzie s'est rapprochée des filles de Nuit Noire. Les autres musiciens se sont regroupés aussi, y compris Ptérodactylus. Même si je ne faisais partie d'aucun orchestre, Ozzie était ma soeur. Je me suis donc retrouvé en compagnie des quatre filles.

— Ça suffit! a dit William. Je ne reste pas ici une minute de plus!

— Où iras-tu? a demandé Etcétéra. As-tu regardé dehors? La tempête a empiré.

— Appelons la police! a suggéré Ozzie. S'il y a un malfaiteur ici, les policiers le trouveront.

En entendant parler de la police, les membres de Ptérodactylus ont tressailli.

— Comment fera-t-on pour contacter la police? a dit Etcétéra. Le téléphone est en panne.

Ce n'était pas la panique, non. Après tout, on n'avait aucune raison de s'inquiéter, n'est-ce pas? On était juste enfermés dans une école où un inconnu s'amusait à casser des vitraux et à voler du sang de poulet.

— Ce n'est pas tout, a ajouté Etcétéra. J'ai fait une seconde découverte.

— Il veut absolument nous rendre fous! a dit Ozzie.

Il s'est planté juste à côté de la table à banquet.

— Regardez cette table. Regardez-la attentivement. Quelqu'un remarque-t-il quelque chose, etc.?

— Veux-tu cesser de jouer aux devinettes? Ce n'est plus drôle!

— J'attire votre attention sur le fait que, depuis la panne, l'un des plats a disparu.

Tout de suite, j'ai vu ce qui manquait.

— La salade!

— Bravo, Maxime. Puisque ce plat a disparu, c'est que quelqu'un l'a emporté. Vous êtes bien d'accord, etc.? Je voudrais donc savoir qui d'entre vous a fait cela.

Personne n'a levé la main. Mais je n'avais jamais vu des gens s'examiner avec autant de méfiance.

Quand mon regard s'est posé sur les musiciens de Ptérodactylus, ils étaient de plus en plus mal à l'aise. Pas besoin de s'appeler Sherlock Holmes pour comprendre qu'ils avaient quelque chose à se reprocher.

Je me souvenais de la réaction de Red lorsqu'il avait senti la vinaigrette. Y avait-il un rapport entre ça et la disparition du plat de salade?

— Bon! a dit Etcétéra. Personne ne veut répondre? Parfait! Comme je suis le responsable officiel de cette soirée, je me vois obligé de vous imposer un règlement jusqu'à ce qu'on sorte d'ici.

Silence. Il y avait de la nervosité dans l'air.

— Je vous demanderai de réintégrer vos classes et de n'en sortir sous aucun prétexte. Il est évident qu'un malfaiteur se trouve ici, etc. La meilleure façon de se protéger contre lui, c'est de rester en petits groupes.

Le dos rond, on est sortis de la salle. Les musiciens de Ptérodactylus paraissaient soulagés.

Ozzie a posé un bras autour de mes épaules. Je me suis aperçu que ma grande soeur tremblait.

Chapitre V
Un rôdeur

La crainte me transformait en guenille. Des pleurnichements voulaient me sortir du nez. Si j'avais eu sept ans, j'aurais piqué une crise. Mais parce que j'en avais treize, je me retenais et ça faisait mal.

— JE LE TIENS! VENEZ M'AIDER! VITE!

Les filles et moi, on a bondi comme si l'on avait des propulseurs.

— William! a dit Suzie. Il a pincé le bandit!

— On y va! a fait Ozzie en ouvrant la porte.

Les cris venaient de l'étage au-dessus. Tous les musiciens couraient vers l'escalier.

Les premiers arrivés formaient déjà un cercle et les trois torches électriques éclairaient la scène.

Au milieu, William agrippait quelqu'un par les vêtements. L'autre se cachait le visage avec ses bras. Il gémissait. C'était un spectacle pénible, mais on voulait que justice soit faite.

— Je l'ai surpris en train de rôder! disait William d'une voix plutôt sadique. Allez! Montre ton visage!

Le rôdeur tenait absolument à garder l'anonymat. William s'est mis à le secouer. Au même moment, Jekyll s'est porté au secours de la veuve et de l'orphelin.

— Veux-tu bien lui foutre la paix!

C'était un geste mémorable. Sauf que la veuve ou l'orphelin était un malfaiteur. La colère de William était donc un peu justifiée.

Le gros bras tatoué de Jekyll a entouré les épaules du rôdeur, très amicalement.

— Éteignez ces lampes! Vous ne voyez pas que ça lui fait mal?

— Obéissez, a dit Etcétéra. J'ai allumé une chandelle.

Il a tendu la flamme vers le visage du bandit.

— Oooooooooooooooohhhhhhhhh! ont chanté en choeur plusieurs d'entre nous.

C'était Red!

Un Red plus blême que jamais et qui n'avait pas ses lunettes noires. Il se cachait maintenant les yeux avec ses mains.

— Montre-moi tes yeux, a dit calmement Etcétéra.

— Pardon? a répondu Jekyll. Tu te prends pour un optométriste ou quoi?

— Montre-moi tes yeux, a répété Etcétéra.

— O.K., O.K.! Il va te les montrer, si ça t'amuse. Commence par éloigner cette flamme!

Etcétéra a obéi. Les paupières de Red se sont ouvertes.

Ses yeux étaient rouges!

Pas bruns ni bleus ni gris, comme ceux de tout le monde!

Rouges!

Je venais de comprendre d'où il tenait son nom d'artiste!

On est tous restés saisis. Sauf Etcétéra qui jouait parfaitement son rôle d'enquêteur.

— Explication?

— Tu veux savoir pourquoi il a les yeux de cette couleur? a demandé Karl. Sais-tu ce que c'est qu'un albinos?

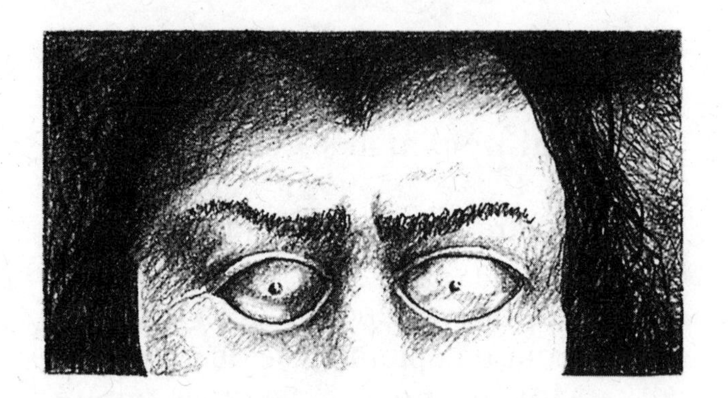

— Bien sûr. C'est une personne sans pigmentation. Sa peau, ses poils, ses cheveux, etc., n'ont pas de couleur.

— Une vraie encyclopédie, ce crétin-là! Alors, tu es au courant que les albinos ont les yeux rouges?

— Évidemment. Mais Red n'est pas un albinos. Ses cheveux et ses sourcils sont noirs.

— La teinture, tu as déjà entendu parler de ça?

Etcétéra n'a pas répondu. Sa machine à enquêter venait de s'éteindre.

— Allez, viens, Red, a dit Jekyll en entraînant son ami.

Red Lerouge était donc un albinos! Cela expliquait sa pâleur de cadavre.

Les albinos ont la vue très sensible et toute lumière un peu forte leur cause de la douleur. Voilà pourquoi Red ne se séparait de ses lunettes noires qu'en pleine obscurité!

— Un instant! a lancé Ozzie. Dites-moi donc pourquoi Red se trouvait ici! Etcétéra nous avait demandé de ne pas quitter nos classes!

Jekyll lui a fait un sourire de séducteur. Toutefois Ozzie est restée calme.

— Red est un grand garçon, Ozzie. Il fait ce qui lui plaît. S'il veut aller se dégourdir les jambes, alors il va se dégourdir les jambes. C'est clair?

— Ouais... mais pas convaincant!

Etcétéra est revenu à la charge.

— Je voudrais savoir autre chose, messieurs. Pourquoi Red couche-t-il seul dans sa propre classe, etc., au lieu d'accompagner son orchestre?

— Tu nous espionnes, le flic? a dit Gorgo.

— Je ne vous espionne pas, etc. J'accomplis seulement mon devoir. En faisant une nouvelle ronde tout à l'heure, j'ai constaté que Red ne s'était pas installé avec vous.

Red a relevé la tête. Il portait maintenant ses lunettes.

— Je souffre d'insomnie, a-t-il répondu. Le moindre son m'empêche de dormir et mes amis sont plutôt bruyants. J'ai donc choisi de m'isoler. Si je me promenais ici tout à l'heure, c'est parce que je n'arrivais pas à trouver le sommeil...

Quelque chose me disait encore qu'il n'était pas sincère.

Je me laissais peut-être influencer par son apparence et par sa voix d'outre-tombe. C'était une réaction raciste, sans doute, à cause de sa peau et de sa voix trop blanches.

Je déteste pourtant le racisme. En Afrique du Sud, par exemple, les Noirs ont une peur bleue du racisme et je les comprends. Red avait les yeux rouges? Bon! Après tout, les albinos possèdent les mêmes droits que les Blancs.

L'intermède était terminé. Chaque orchestre s'en retournait dans sa classe.

La déprime nous imposait le silence.

Chapitre VI
Il est question de Dracula

Il faisait maintenant très froid à l'intérieur des classes.

J'avais enroulé mes couvertures autour de moi. Suzie et Marie avaient revêtu leur manteau, tandis qu'Ozzie et Annie s'étaient enfoncées dans leur sac de couchage.

Marie nous a dit qu'elle allait aux toilettes.

— Ça ne peut pas attendre?

— Non! Et je ne ferai pas ça ici, quand même!

— Je t'accompagne, a proposé Suzie. C'est plus prudent.

Elle a allumé la lampe de poche.

— On ne devrait pas prévenir les autres? a suggéré Ozzie. Si quelqu'un vous entendait marcher...?

— Franchement! J'ai le droit d'aller aux toilettes sans mettre tout le monde au courant!

Ozzie a donc attendu leur retour en arpentant la pièce.

Quand les hurlements ont retenti, elle s'est élancée la première vers la porte.

Suzie et Marie se trouvaient devant l'entrée des toilettes. Elles tremblaient de terreur.

— Qu'est-ce qui s'est passé? a demandé Stéphane.

— Il y avait un homme, là! On n'a pas vu son visage!

— Il vous a attaquées?

— Non! Il a essayé de nous faire peur!

De toute évidence, il avait réussi. La gorge de Marie était pleine de sanglots et les larmes coulaient de ses yeux. Ozzie la serrait contre elle pour la calmer.

— Il portait une sorte de cape! a dit Suzie.

Je m'étais empressé de voir s'il y avait des absents. Il ne manquait personne.

— À quoi ressemblait votre agresseur? a demandé Etcétéra.

— Je l'ai dit: il portait une longue cape.

— Lui, il était petit ou grand, etc.?

— Très grand! Enfin, il m'a paru très grand, mais je l'ai mal vu dans le noir.

— Très grand, hein? a répété Etcétéra en se tournant vers Ptérodactylus.

On a tous suivi la direction de son regard. De nous tous, Red était le plus grand et de loin.

— Tu ne vas pas recommencer tes insinuations! a crié Jekyll. Espèce d'arriéré mental!

Dignement, Etcétéra est retourné à son interrogatoire.

— Euh...! Vous parliez d'une cape. Peux-tu la décrire, Suzie?

— J'ai eu juste le temps de braquer ma lampe sur lui. C'était une cape comme... oui! comme celle de Dracula au cinéma!

À ce nom de Dracula, on aurait cru qu'une brise glacée venait d'entrer dans l'école.

— Une cape comme celle de Dracula, etc.? C'est bien ce que tu as dit?

— Assez! a coupé Ozzie. Tu ne te rends pas compte qu'elles ont subi un choc?

— Je ne fais pourtant que mon devoir, etc.!

— Ton devoir? a grogné Jekyll en lui saisissant un bras. Ton devoir dorénavant, c'est de fermer ta grande gueule! Compris?

Ses yeux lançaient des éclairs vers ceux d'Etcétéra. Tout autour, les autres observaient la scène en ne sachant plus quoi faire.

Il s'est alors produit quelque chose d'inattendu.

Red s'est approché de son ami et il a doucement posé une main sur son épaule tatouée.

— Laisse tomber, Jekyll...

Et Jekyll a laissé tomber.

D'ailleurs, Etcétéra s'est retrouvé sur le dos. Mais personne n'a ri.

Chapitre VII
J'ai une théorie

Etcétéra s'est remis debout comme si de rien n'était, puis il a encore parlé.

— L'expérience vécue par Marie et Suzie nous prouve que l'agresseur existe réellement. Il faut donc nous défendre.

Il a jeté un coup d'oeil à sa montre.

— Le jour va se lever dans environ trois heures. N'importe quoi peut arriver d'ici là, etc. Il n'est plus question de laisser agir le malfaiteur.

— Qu'est-ce que tu proposes? a demandé William.

— Il faut former des équipes. L'une après l'autre, elles feront une ronde d'exploration à travers l'école. La remise renferme quelques sifflets et des bâtons de baseball, etc. On se servira des sifflets pour avertir les autres en cas d'urgence. Les bâtons seront nos armes!

Un semblant de détermination venait de naître. Etcétéra et quelques autres sont descendus à la remise. Pendant qu'on revenait dans nos classes, la première équipe est partie en exploration. J'espérais bien qu'elle trouve au plus tôt le vampire.

Car j'en étais venu à penser que le malfaiteur pouvait vraiment être un vampire.

Il ne faudrait pas croire que je sois naïf. Même si mon intelligence est ordinaire, elle est capable de faire des liens.

D'abord, le vitrail brisé représentant un crucifix. Selon la légende, on peut combattre un vampire en brandissant une croix. Le vampire avait pu casser le vitrail parce que sa santé était menacée.

Ensuite, le vol des sachets de sang. Le vampire avait peut-être dérobé ces sacs dans le but de se nourrir. C'était une pensée dégueulasse, mais je n'imaginais pas d'autre mobile à ce vol.

Puis, la disparition du plat de salade. Lorsque l'on veut se protéger contre les vampires, la recette demande de l'ail. Et la vinaigrette était bourrée d'ail, je me le rappelais très bien.

Enfin, le personnage aperçu par Marie et Suzie portait une cape comme celle de

Dracula. Je savais que ce n'était pas une preuve. Les quatre éléments mis ensemble toutefois, ça commençait à faire une théorie drôlement sérieuse.

Il ne faudrait pas croire non plus que je réfléchissais à tout ça calmement. En réalité, j'avais une peur énorme!

Éléphantesque! Dinosaurienne même!

Il m'était déjà arrivé d'avoir la trouille, mais je savais alors de quoi j'avais peur. Cette fois, j'ignorais l'identité de notre ennemi.

Ce pouvait être l'un d'entre nous. Lorsque je pensais à ça, Red me venait aussitôt à l'esprit.

Red avec son visage pâle de mort vivant! Sa bouche trop rouge pour être honnête! Ses yeux de lapin blanc! Il y avait aussi sa voix «sépulcrale», comme écrivent les auteurs de récits d'épouvante.

Maintenant que je le soupçonnais, un autre indice est devenu clair. Ça ne m'avait pas sauté aux yeux avant!

Lorsque Red parlait, il serrait les lèvres le plus possible. On aurait dit que sa bouche dissimulait quelque chose! Et que pouvait-elle bien cacher, sinon...?

Des crocs!

Pelotonné dans mon sac de couchage, je laissais ces idées-là tourbillonner en moi. J'étais terrifié. Presque malade.

Si ma théorie était exacte, Ptérodactylus pouvait surgir ici d'un instant à l'autre. Tous les quatre étaient peut-être des vampires. Les filles de Nuit Noire et moi, on serait de bien belles victimes pour ces monstres assoiffés de sang.

Un coup de sifflet a brisé mes réflexions. Ozzie m'a sorti du sac en me tirant par la main. Mes jambes avaient de la difficulté à la suivre.

Cette fois, le terminus se trouvait devant la bibliothèque. L'attroupement habituel était au rendez-vous.

En lettres rouges sur un mur, des graffiti avaient été peints. Etcétéra les éclairait avec sa lampe:

«GARDEZ VOTRE SANG-FROID. JE N'AIME PAS LE RÉCHAUFFÉ.

SIGNÉ: UN VAMPIRE QUI VEILLE SUR VOUS.»

Les yeux de tout le monde étaient exorbités.

Etcétéra a touché l'un des mots, puis il a senti le bout de son doigt.

— Du sang? a demandé Annie.

— De la gouache.

— Qui a fait ça? a hurlé William.

Marie s'est mise à pleurer. Deux ou trois autres avaient les lèvres qui tremblaient.

— Qui a fait ces graffiti, hein? Je veux une réponse!

Les musiciens de Ptérodactylus ne parlaient pas. Red penchait la tête et ses longs cheveux noirs masquaient son visage comme un rideau.

D'un geste brusque, William lui a relevé le menton.

— Qu'est-ce que tu as à dire, toi?

Allez, réponds!

Jekyll a aussitôt bondi. William est tombé à plat ventre sur le plancher, un bras tordu derrière le dos. Stéphane et Annie sont intervenus afin de les séparer.

Vraiment, l'atmosphère n'était plus du tout à la camaraderie.

Je me tenais juste à côté de ma soeur. Un petit miroir dépassait de sa poche de jeans, car il lui arrive parfois de se maquiller comme du monde.

Alors, j'ai eu une idée géniale!

Les vampires n'ont pas de reflet dans les miroirs, c'est bien connu. J'avais vu assez de films pour être au courant. Cette caractéristique fait partie de leur personnalité.

J'ai subtilisé le miroir et je l'ai rapproché de mon visage. Je le bougeais lentement, avec précaution, en cherchant le meilleur angle. L'obscurité ne me facilitait pas la tâche. Puis enfin, j'ai capté l'image de Jekyll.

Je voyais Gorgo à ses côtés. Un tout petit peu plus loin, il y avait aussi Karl. Je ne distinguais pas encore Red.

En me tournant vers eux, j'ai eu le choc de ma vie! Red était bien là, tête baissée et visage caché par ses cheveux. De nouveau, j'ai regardé le miroir.

À la gauche des trois premiers, il n'y avait que le vide!

Le miroir a failli m'échapper des mains. Un cri de terreur est monté de ma poitrine, mais j'ai réussi à me retenir. Ma tête tournait. Je me suis accroché à Ozzie.

— Ça ne va pas, Maxime?

Je ne sais pas ce qui s'est passé après. La seule chose dont je me souviens, c'est qu'Ozzie m'aidait à m'étendre sur mon sac de couchage.

Chapitre VIII
L'antre du monstre

— Le vampire existe vraiment! C'est Red!

— Mon pauvre Maxime, tu as la fièvre! Tu délires!

— Mais non! Red est un vampire! Je lui ai passé le test du miroir!

Ce test-là ne lui disait rien. Comment pouvait-elle jouer du *heavy metal* sans rien connaître aux vampires?

Ses trois copines étaient demeurées avec les autres. La discussion s'était transportée dans la salle de banquet. Pour plus de sécurité, Ozzie avait barricadé la porte de la classe.

Je lui ai tout expliqué. Elle m'a écouté sans interruption. À la fin, elle a dit:

— Ton hypothèse expliquerait bien des choses, Maxime.

Puis elle est revenue en pleine réalité.

— Non, je n'y crois pas! Un vampire, voyons! Et un vampire-guitariste par-dessus le marché!

— On peut être guitariste et vampire à la fois. Il y a des gens qui ont plusieurs talents.

— Qu'est-ce qu'on fait? On en parle aux autres?

— Pas tout de suite. Il faudrait d'abord prouver que Red est le coupable.

— Comment?

— Si on retrouve la cape ou les sachets de sang dans sa classe, il ne restera aucun doute.

— Maxime, es-tu en train de proposer qu'on fouille ses affaires?

J'ai fait signe que oui.

— Jamais! Je ne veux pas être mordue et devenir une vampire à mon tour!

C'était risqué, bien sûr. Mais puisque les autres discutaient toujours dans la salle de banquet, on avait momentanément la voie libre.

— Il faut y aller, Ozzie. Avant le retour de Red!

Je lui ai demandé si elle portait une petite croix sur elle.

— Non, pourquoi?

— Pour nous protéger, au cas où le vampire nous surprendrait.

— Oh, Maxime, ne dis pas ça!

Elle a vidé nerveusement les sacs de ses amies. Dans celui de Marie, elle a trouvé ce qu'on cherchait: une chaînette avec un crucifix au bout.

Ozzie a passé la tête par l'entrebâillement de la porte. Il n'y avait personne à l'extérieur. On est sortis sur la pointe des pieds.

Parvenus à la classe de Ptérodactylus, on a jeté un coup d'oeil à l'intérieur. Personne. Red devait utiliser la salle suivante.

Malgré son désespoir, Ozzie a continué de me suivre. J'ai posé la main sur la poignée. J'ai tourné. La porte s'est entrouverte. Le silence était pur à 100 %.

— Il n'est pas là. On entre!

On s'attendait à voir partout des toiles d'araignées, ou des chauves-souris accrochées aux murs, ou des flaques de sang sur le plancher. Rien de tout ça n'était visible.

Puis un détail a attiré mon attention.

— Pas de sac de couchage! Red coucherait à même le sol?

— Regarde là-bas!

Elle me montrait quelque chose de

long, dans le fond de la pièce. Je me suis approché.

— La caisse de bois! Je l'avais oubliée, celle-là! Elle se trouvait ici?

— On l'ouvre? C'est sûrement dans cette caisse qu'il a caché les objets.

On a essayé de soulever le panneau qui la fermait.

— Inutile, a conclu Ozzie. Je crois que c'est cloué.

Revenu vers la porte, j'ai remarqué un fil blanc qui traînait par terre.

— Qu'est-ce que c'est? a demandé Ozzie.

— Je ne sais pas. On dirait... Oui, c'est un...

— Un fil de soie dentaire! a lancé une voix du fond de la pièce.

C'était comme si j'avais reçu une décharge électrique!

Le couvercle de la caisse était relevé et Red se trouvait étendu à l'intérieur. J'ai aussitôt compris pourquoi il n'avait pas besoin de sac de couchage.

Il dormait dans la caisse! De la même manière que les vampires dans un cercueil!

Red s'est levé et il a marché vers nous.

On était paralysés. Il a placé ses lunettes noires sur son nez, à cause de la bougie.

— Eh oui, du fil de soie dentaire! Ça vous étonne? Pourtant les vampires aussi se nettoient les dents, vous ne le saviez pas?

Pour la première fois, il a souri. Et ses dents étaient vraiment très très propres.

Surtout les deux crocs qui dépassaient des coins de sa bouche!

Chapitre IX
Face au vampire

J'aurais voulu appeler à l'aide, mais ma voix ne m'obéissait plus. En tremblant, Ozzie a brandi la petite croix.

— Tu peux ranger ça. Ces trucs-là ne me font plus aucun effet depuis longtemps.

La chaînette est tombée sur le sol. Ozzie m'a attiré contre elle.

— Si tu approches encore, je crie!

— Garde ta voix pour chanter. Je ne vous ferai aucun mal.

Tout à coup, je ne comprenais plus, et ça m'a aidé à retrouver la voix.

— Comment ça, aucun mal? Tu es un vampire, j'en ai la preuve! J'ai fait le test du miroir et je n'ai pas vu ton reflet.

— Tu es un petit futé, toi! Et qu'as-tu appris d'autre?

Je lui ai dit ce que je savais.

— Bravo. Ah! je me doutais bien qu'avec cette tempête, je risquais d'être découvert!

— Alors, c'est vrai? a demandé Ozzie. Tu es un... vampire?

— Exact. Je me couche habituellement dans un cercueil. Puisqu'on n'avait pas prévu dormir ici, il me fallait une solution de rechange. La caisse de bois m'a dépanné.

— Et... tu bois du sang? Le vol des sachets, c'est toi évidemment?

— Du calme, du calme... Je suis un vampire, d'accord. Il faudrait cependant ajouter un détail: je suis abstinent! Je ne pratique plus le vampirisme, vous comprenez? Je suis inoffensif!

— Ça veut dire que... tu es redevenu un être humain comme nous?

— Pas tout à fait! «Vampire un jour, vampire toujours.» Vous connaissez le proverbe?

Je n'avais jamais entendu ce proverbe-là. Il a souri juste assez pour ne pas montrer ses crocs.

— C'est une longue histoire... Je suis né il y a plus de trois siècles. Je ne parais pas mon âge parce que les vampires vivent très vieux. Passons vite sur les deux premiers siècles de mon existence. Vous ne trouveriez pas ça très ragoûtant.

Il a baissé la tête.

— Jour après jour, je devais partir en chasse afin de me nourrir de sang humain. Cela doit vous sembler monstrueux!

Il nous enlevait les mots de la bouche.

— Ce n'était pas une tâche de tout repos, croyez-moi! Le sang humain, ça ne s'achète pas dans les épiceries! D'autant plus que j'avais pitié de mes victimes, ce qui est très mauvais pour le moral.

Son récit me donnait le goût de vomir. Pourtant, malgré son apparence assez spéciale, je ne pouvais pas l'imaginer boire le sang de quelqu'un.

— Tu as décidé de changer?

— Exactement. Ça n'a pas été facile, car je ne pouvais compter sur aucune aide. Personne n'a encore fondé les Vampires Anonymes! Chaque jour, chaque seconde même, je devais combattre mes instincts.

— Et tu as réussi.

— Pas d'un seul coup. Ce genre de lutte dure très longtemps. Peut-être toute la vie. Et la mienne est éternelle...

Ça me faisait un drôle d'effet d'entendre parler d'éternité. J'avais beau essayer, je ne parvenais pas à imaginer combien de temps ça durait.

— Mon régime alimentaire s'est complètement transformé. J'ai remplacé le sang par de la viande. Ça ne me convenait pas non plus. Alors, peu à peu, je suis devenu végétarien.

— Végétarien? Un vampire végétarien?

Je me souvenais du petit banquet. Red n'avait alors mangé que des carottes.

— L'ail! Tu ne peux toujours pas supporter l'ail, n'est-ce pas?

— Comme je viens de le dire, je serai toujours un vampire au fond de moi. Or, les vampires sont incapables d'endurer l'odeur de l'ail. Cela peut même nous tuer!

Tous les jours, l'haleine d'un de mes professeurs empestait l'ail. Si Red l'avait connu, il serait mort depuis longtemps.

— Je préfère vivre la nuit, car la lumière du jour me fait souffrir. Grâce à ces verres fumés, je me crée une nuit permanente. Et j'aime beaucoup me promener en pleine obscurité. Les atmosphères inquiétantes m'attirent énormément. Que voulez-vous? On ne se refait pas!

— Es-tu vraiment un albinos? Un vampire albinos, ça me semble ridicule!

— Lorsqu'un vampire renie sa nourriture, Maxime, il doit en assumer les conséquences. À force de me priver de sang, j'ai perdu mes couleurs petit à petit. Mes cheveux ont blanchi. Ma peau a blêmi. Et mes yeux sont devenus rouges, ce qui les rend encore plus sensibles à la lumière.

Ozzie a mis le pied sur un terrain qu'elle connaissait:

— Qu'est-ce qui a amené un vieux vampire dans ton genre à jouer du *heavy metal*?

— Je suis loin d'être vieux, tu sais. Trois siècles, c'est très jeune!

Et Hugo qui se plaignait parce qu'il avait quarante ans!

— La musique m'a toujours attiré. Même avant mon abstinence, j'appréciais les symphonies et les valses. C'est une des raisons qui me faisaient détester ma nature de vampire. Comment, en effet, se nourrir d'une espèce qui crée de si belles choses? Un jour, j'ai décidé d'apprendre à jouer.

— Mais pourquoi le *heavy metal*?

ai-je demandé. Tu aurais pu choisir quelque chose de beau!

Ozzie m'a fait de gros yeux.

— J'ai joué tous les genres de musique. Aujourd'hui, c'est le *heavy metal.* Demain, ce sera autre chose. Et puis, vous ne trouvez pas que j'ai la gueule de l'emploi?

En riant, il cachait ses dents avec sa main, comme font certains jeunes qui portent un appareil orthodontique.

— Tes copains de Ptérodactylus, est-ce qu'ils savent que tu es un vampire?

— Naturellement. Oh! bien sûr, au début, ils ont hésité à me prendre! Ils avaient un peu peur de moi. Et ma présence pouvait leur occasionner des problèmes. Imaginez que le public apprenne la vérité: des musiciens *heavy metal* protégeant un vampire! Quel scandale!

Il a pris la pose d'un guitariste en action.

— Quand on joue tous les quatre, ils se moquent de mes antécédents. C'est mon jeu de guitare qui les intéresse. On est devenus de très bons copains à la longue. En fait, Jekyll, Gorgo et Karl sont mes seuls amis.

— Ils sont prêts à tout pour toi? ai-je supposé. Même à devenir tes complices?

Red a laissé tomber sa guitare invisible.

— Tu fais allusion à ce qui se passe ici?

Il s'est avancé d'un mouvement si vif qu'on a sursauté.

— Je vais vous dire une chose. Après ce que vous venez d'entendre, vous pensez sûrement que tout s'est éclairci. Que Red le vampire est la cause des incidents. Eh bien, non! Ma seule participation à ces mystères, c'est lorsque j'ai demandé à Jekyll de se débarrasser du plat de salade. Le reste, je n'ai rien à y voir.

— Hein? a fait Ozzie. Tu n'as pas peint les graffiti? Ce n'est pas toi non plus qui as effrayé Suzie et Marie?

— Pas plus que je n'ai cassé le vitrail ni volé les sachets de sang. Pourquoi m'amuserais-je à des enfantillages pareils? Pendant deux siècles, j'ai terrorisé les gens par nécessité. Inspirer la terreur ne me procure plus le moindre plaisir.

— Ça veut dire que...?

— Que le coupable est quelqu'un d'autre. Précisément!

Chapitre X
L'instant de vérité

Quelqu'un a cogné à la porte, puis une tête aux longs cheveux est apparue dans l'entrebâillement. C'était Jekyll.

— Qu'arrive-t-il? a demandé Red. Vous parlez depuis une heure au moins.

— Le défoulement total! Ça discute et ça s'engueule. Personne ne sait plus quoi penser sur ce qui se passe ici. Pendant ce temps-là, le taré se contente d'écouter.

Le taré, bien sûr, c'était Etcétéra.

— Je viens vous chercher à sa demande, d'ailleurs. Il dit qu'il a trouvé la solution de l'énigme! Il veut que tout le monde soit là pour entendre ses conclusions.

— Crois-tu que...?

— C'est le plus parfait idiot que j'aie jamais vu. Tu ne risques rien. Allons-y, ça va le contenter.

Un peu éberlués, on a suivi Red et

Jekyll jusqu'à la salle de banquet. Il faisait chaud là-dedans. L'agressivité et la colère sont d'excellentes sources de chaleur humaine.

Tout le monde paraissait fatigué. Les musiciens étaient assis sur le plancher ou adossés aux murs. Avant de présenter son grand numéro, Etcétéra mijotait ses pensées en silence.

Puis il a commencé:

— Les incidents que nous avons vécus cette nuit sont bizarres autant qu'étranges, etc. Ils forment un écheveau très complexe et extrêmement difficile à démêler. La peur a régné dans cette école, rendant encore plus pénible toute tentative de raisonnement.

— Je ne m'habituerai jamais à sa façon de parler, a murmuré Ozzie.

Il lui a fallu quinze bonnes minutes pour résumer les faits.

— Enfin, coup de théâtre! Notre mystérieux ennemi trace des graffiti sur le mur de la bibliothèque! Un avertissement sanglant, menaçant, etc., par lequel il dévoile sa nature! Aussi incroyable que cela puisse paraître, notre ennemi est un vampire!

Il parlait d'une voix pleine de drame, comme un prédicateur à la télé ou un politicien en campagne électorale.

— Oui, un vampire! Un de ces êtres abominables qui s'abreuvent de sang! Un épouvantable monstre qui dort dans un cercueil! Dès lors, tout s'éclaire! La disparition de l'ail, la destruction du vitrail représentant une croix, le vol des enveloppes de sang, etc., etc., etc.!

— Il ne va pas se mettre à bégayer! a dit Ozzie.

Etcétéra expliquait la théorie que j'avais déjà imaginée. Ses auditeurs étaient captivés. Il donnait le spectacle de sa vie. Pendant qu'il parlait, mon cerveau fonctionnait à toute vitesse.

Puis il a levé le bras, à la manière d'un arbitre au hockey avant la mise au jeu.

— J'ai finalement découvert le coupable! Il se cache parmi nous!

Avec rage, il a pointé le doigt en direction de Red.

— Le vampire, le voici!

À présent, tous les yeux étaient braqués sur le guitariste.

Une fois sortis de leur ahurissement, ses amis ont fait un pas vers l'accusateur.

Leur visage n'avait rien de gentil. Red, lui, restait immobile.

— Ne me touchez pas! a hurlé Etcétéra. Je vous signale que dix témoins nous observent! Si vous faites le moindre geste violent, etc., il pourrait vous en cuire!

— Tu es complètement malade! a répondu Jekyll.

— Écartez-vous! Écartez-vous, je veux voir le vampire bien en face!

Il a brandi une grosse croix. J'ignore où il l'avait prise, je ne l'avais pas vue avant.

— Écartez-vous, créatures de l'enfer! Laissez-moi affronter le vampire! Laissez-moi lui montrer qui est le plus fort!

Jekyll a sauté sur lui, ce qui a déclenché l'intervention de William. Une bagarre a éclaté. C'était vraiment semblable au hockey, sauf que l'arbitre aussi méritait une punition.

— Ça suffit! a crié Red. Tu veux voir quel effet a sur moi un crucifix? Eh bien, vas-y! Fais ton devoir, mon vieux!

Etcétéra tenait le crucifix comme si c'était une épée. Son visage grimaçait, son front était en sueur. Du bout de la

croix, il a touché Red.

Rien ne se produisait. Son masque de fanatique s'est effacé d'un coup.

— Satisfait? a demandé Red.

Etcétéra fixait le guitariste avec l'air de se demander ce qui ne fonctionnait pas. Il s'est éloigné en baissant la tête.

Tout à coup, il a exhibé un petit objet rond.

— Eh, le vampire! Tu sais ce que c'est? Un bulbe d'ail! Les vampires ne supportent pas ça, etc.! Attrape!

Red a bondi en arrière, mais la main de Jekyll a saisi le bulbe au vol. Karl s'est avancé vers Etcétéra en grognant.

— Cette fois, tu as été trop loin!

— NON, KARL!

J'avais dit ça avec une autorité qui me surprenait moi-même.

Quinze paires d'yeux se sont tournées dans ma direction. Ozzie avait la bouche grande ouverte.

— J'ai tout compris! J'ai trouvé le vrai coupable!

La stupeur les avait rendus muets. Je me suis approché d'Etcétéra, puis je l'ai regardé droit dans les yeux.

— Explique-leur toi-même, veux-tu? Puisque c'est de toi que je parle.

Chapitre XI
La confession

Etcétéra s'est effondré dans les bras de Karl.

— Oui, il est temps que j'avoue! C'est moi! Moi, moi et seulement moi! J'en ai assez de cette mascarade! J'en ai assez!

C'était la crise de nerfs. Sa peine était si évidente que Karl lui tapotait le dos pour le consoler.

— Vous avez été victimes d'une hypocrite mise en scène! Et le metteur en scène, c'était moi! C'est moi qui ai volé les sachets de sang! Moi qui ai brisé le vitrail! Les graffiti, c'était mon oeuvre! Et le vampire à la cape, c'est encore moi! Oh! comme j'ai honte!

J'avais déjà vu mes parents pleurer quelquefois et ça m'avait brisé le coeur. Même si Etcétéra n'était pas vraiment ce que l'on appelle un adulte, ça me faisait un effet semblable.

— Je voulais vous faire peur, comprenez-vous? Vous terrifier! Et vous savez pourquoi, etc.? Parce que vous êtes des musiciens *heavy metal*! JE DÉTESTE LE *HEAVY METAL*, VOUS ENTENDEZ? JE DÉTESTE ÇA À MOURIR!

À cause des sanglots, sa tête tressautait sur l'épaule de Karl.

— Je ne voulais pas organiser ce Festival! Je ne voulais pas propager cette musique pleine de hurlements! Mais les jeunes ont insisté! Ça leur faisait tellement plaisir que j'ai dû me soumettre!

Ozzie a baissé la tête.

— J'ai préparé ce spectacle pendant des semaines. Chaque soir, je m'en voulais à mort. C'était contre mes principes, vous comprenez? Petit à petit, j'ai éprouvé de la rancoeur contre tous les musiciens *heavy metal* du monde! Un terrible désir de vengeance grandissait en moi!

Ses yeux noyés de larmes nous ont regardés avec courage.

— Quand la tempête est venue, puis la panne, j'ai su de quelle façon je pourrais me venger! En créant de toutes pièces une menace! En inventant un faux vampire dissimulé dans l'école! J'ai tout improvisé de A jusqu'à Z.

Quelqu'un lui a prêté un mouchoir.

— Je me disais: «Ah, ils aiment ça, le *heavy metal*, hein? Ils adorent les monstres, les démons, les vampires, etc.? Alors, un vampire, je vais leur en faire voir un! Je leur montrerai ce que c'est que d'avoir peur!»

Red m'observait derrière ses verres fumés. À mon avis, il pensait aux gens qu'il avait effrayés au cours de son existence. Indirectement, il se sentait peut-être responsable de la bêtise d'Etcétéra.

— Ma haine m'a poussé hors de moi. Je suis allé trop loin et je le regrette. Veuillez m'excuser: je ne suis qu'un imbécile.

Justement, je trouvais qu'Etcétéra n'agissait plus en imbécile.

J'avais découvert la vérité et ça ne me rendait pas heureux. Des musiciens sont venus vers moi. Ils voulaient savoir comment j'avais deviné. Je leur ai expliqué, mais le coeur n'y était pas.

Pour commettre ses méfaits, le coupable avait dû se déplacer dans une école totalement privée de lumière. Puisqu'il fallait à tout prix que personne ne le voie, il ne pouvait pas utiliser le moindre éclairage. Cette personne devait donc connaître les lieux sur le bout de ses doigts.

Parmi nous, celui qui connaissait le mieux l'école, c'était Etcétéra. Il y travaillait tous les jours depuis des années.

En l'accusant, je n'étais sûr de rien. J'avais tendu une perche, comme on dit. Et le poisson avait mordu.

Je déteste la pêche.

Plus tard, quelqu'un a annoncé que la tempête s'était calmée.

On a recommencé à sourire. L'agressivité s'en allait, elle n'avait plus sa raison d'être.

Etcétéra s'est excusé auprès de Ptérodactylus. En vampire bien élevé, Red lui a fait un sourire très amical sans montrer les dents. C'était bien. S'il avait vu ses crocs âgés de trois siècles, Etcétéra aurait subi un traumatisme.

En guise de punition, Ozzie a suggéré qu'il organise un autre Festival pour l'année prochaine. Tout le monde était d'accord et Etcétéra a ri malgré sa honte.

On était tous épuisés maintenant. Vers

7 heures, on s'est aperçus que le soleil était levé et que la foutue tempête était allée se faire voir ailleurs.

Ils sont tous sortis déneiger les véhicules. Sauf Red, à cause de son allergie à la lumière du soleil. Moi, je voulais lui dire au revoir avant que mes parents n'arrivent.

— Tu vas garder mon secret? m'a-t-il demandé. Je compte sur toi.

— Ne t'en fais pas. Je ne te trahirai jamais.

— On se revoit bientôt? Ptérodactylus donne un spectacle au Colisée dans deux mois.

— Je vais être franc, Red. Je n'aime pas beaucoup le *heavy metal*, moi non plus.

Il a souri.

— Alors, arrive à la fin du spectacle et viens frapper à ma loge. Je t'enverrai deux billets par la poste.

Il s'est accroupi afin d'être à ma hauteur. Ses lunettes noires me regardaient d'un air sérieux.

— En pensant à moi, Maxime, je veux que tu n'aies jamais peur. Jamais! C'est promis?

— Ne t'inquiète pas. Tu es le plus gentil vampire que j'aie jamais rencontré.

Il a caché ses crocs avec sa main pour mieux éclater de rire.

Maxime, volume 1

Table des matières

Découvrez les autres séries de la courte échelle

Hors collection Premier Roman

Série Fred :
Fred, volume 1

Série Sophie :
Sophie, volume 1
Sophie, volume 2

Série Les jumeaux Bulle :
Les jumeaux Bulle, volume 1

Série Marilou Polaire :
Marilou Polaire, volume 1

Série Babouche :
Babouche

Série Clémentine :
Clémentine

Série FX Bellavance :
FX Bellavance, volume 1

Hors collection Roman Jeunesse

Série Rosalie :
Rosalie, volume 1

Série Andréa-Maria et Arthur :
Andréa-Maria et Arthur, volume 1

Série Ani Croche :
Ani Croche, volume 1
Ani Croche, volume 2

Série Notdog :
Notdog, volume 1
Notdog, volume 2

Série Catherine et Stéphanie :
Catherine et Stéphanie, volume 1